IDÉES PRATIQUES

POUR LA CLASSE DE FRANÇAIS

ISBN 0-8219-1052-3

© Mary Glasgow Publications Ltd. First published in London.
© 1994 by EMC Corporation

Published by EMC/Paradigm Publishing
875 Montreal Way
St. Paul, Minnesota 55102

Printed in the United States of America
6 7 8 9 10 XXX 99

EMC Publishing, St. Paul, Minnesota

Introduction

Les professeurs de français passent beaucoup de temps à préparer du matériel pour leurs cours: illustrations, cartes, transparents pour rétroprojecteur, feuilles de travail, jeux, etc. L'objectif de **Idées pratiques** est de vous faire gagner du temps en vous donnant illustrations de base et modèles, prêts à photocopier, pour ce matériel.

Les pages sont regroupées par sujet, et chaque sujet est traité visuellement. Vous y trouverez des plans, des formulaires, des cartes et des illustrations pour le vocabulaire de base. Il y a aussi une section dite «générale» qui contient, par exemple, des puzzles, des certificats, une feuille de vocabulaire, ainsi que des badges à coller et des rubriques journalistiques pour créer son propre magazine.

Transparents pour rétroprojecteur

Beaucoup de pages peuvent servir à faire des transparents, pour présenter ou réviser le vocabulaire, ou pour encourager le travail oral. Photocopiez la page sur un transparent (qualité photocopieur) et ajoutez éventuellement de la couleur. Certaines pages peuvent être utilisées ensemble: par exemple, les mannequins (50) peuvent être habillés avec les vêtements (48–49) pour créer des tenues variées à décrire, les symboles météorologiques (77) peuvent être ajoutés aux cartes de France (24) ou d'Europe (23), et les aliments (36) peuvent être combinés aussi bien avec les quantités (38) qu'avec les prix (39).

Feuilles de travail

De nombreuses pages peuvent être utilisées individuellement par les élèves pour renforcer le vocabulaire en associant mots et illustrations, par exemple les animaux (6), les activités quotidiennes (12), les moyens de transport (17), les sports (page 51) et le matériel de classe (62). Elles peuvent aussi être découpées et utilisées comme jeux pour le travail à deux ou en groupe. Sur d'autres pages, vous trouverez des formulaires et des modèles à remplir, par exemple une carte d'identité (page 1), un sondage (54) et un curriculum vitae (64). Le plan d'une ville (14) et l'emploi du temps scolaire (58) se prêtent au travail oral à deux. Les personnages à créer (4), la chambre et le salon (9 et 10) permettent aux élèves d'inventer leur propre modèle et de le décrire.

Documents authentiques

Certaines pages sont des reproductions ou des adaptations de documents authentiques qui sont particulièrement utiles pour les jeux de rôle dans la classe, entre autres un plan de Bordeaux (13), des fiches de voyageur et des notes d'hôtel (28–30, 32), des menus (40–43).

Travail créatif

Parmi les pages qui permettent aux élèves de se livrer à un travail créatif figurent un menu (43), une recette (45), des vignettes de bande dessinée (97) et un poster «On recherche» (101).

Grammaire

Les fiches de grammaire (109–123) sont constituées de résumés de points importants de grammaire. Elles peuvent être utilisées sur le rétroprojecteur comme matériel de présentation, ou données directement aux élèves comme fiches de référence.

Table des matières

Ça vaut combien?

La météo, les saisons

Quelle heure est-il?

Les jours et les dates

Les chiffres

Général

Grammaire

Carte d'identité

Nom (de famille) ....

Prénom(s) ....

Adresse ....

....

....

Numéro de téléphone ....

Date de naissance ....

Lieu de naissance ....

Nationalité ....

Profession ....

Taille ....

Poids ....

Cheveux ....

Yeux ....

Principale qualité ....

Principal défaut ....

Animaux ....

Adore ....

Déteste ....

Couleur préférée ....

```
┌─────────────┐
│             │
│             │
│      PHOTO  │
│             │
│             │
└─────────────┘
```

Signature ....

Arbre généalogique

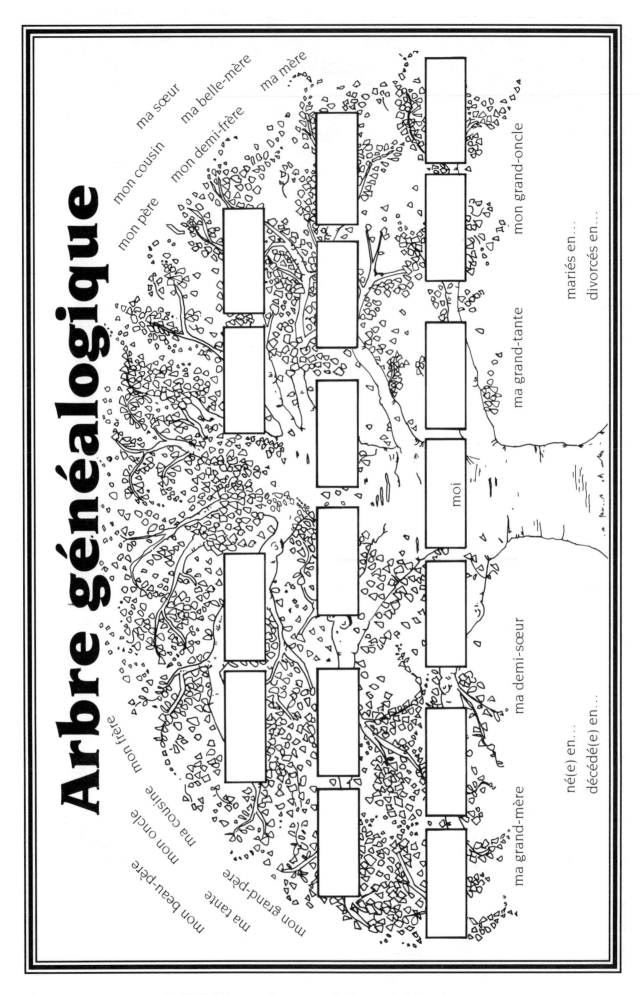

ma sœur · ma belle-mère · ma mère · mon cousin · mon demi-frère · mon père

mon grand-oncle

mariés en.... · divorcés en....

ma grand-tante

moi

ma demi-sœur

né(e) en.... · décédé(e) en....

ma grand-mère

mon frère · ma cousine · mon oncle · ma tante · mon grand-père · mon beau-père

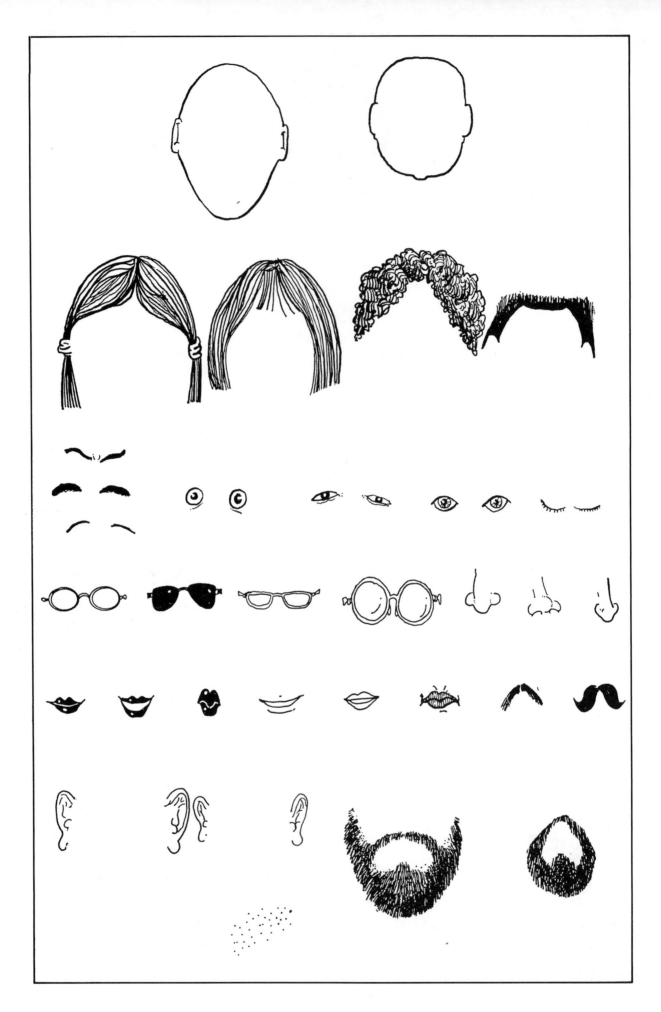

une araignée	un hamster	un poisson rouge
un chat	un lapin	un rat
un cheval	un perroquet	un serpent
un chien	une perruche	une souris
un cochon d'Inde	un pigeon	une tortue

un cochon   un gorille   un lion   un taureau

un crocodile   un hippopotame   un mouton   un tigre

un éléphant   un kangourou   une panthère   une vache

une girafe   un léopard   un rhinocéros

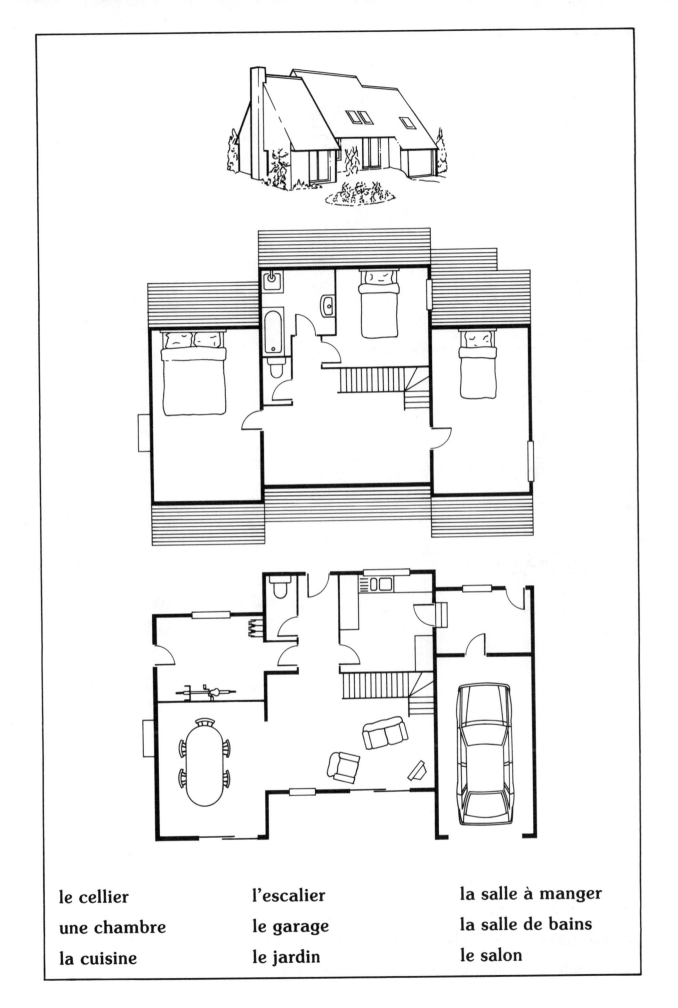

le cellier	l'escalier	la salle à manger
une chambre	le garage	la salle de bains
la cuisine	le jardin	le salon

une assiette	une cuillère	une machine à laver	une soucoupe
une bouteille	une cuisinière	un placard	la table
une casserole	un évier	le poivre	une tasse
une chaise	une fenêtre	la porte	un verre
un congélateur	une fourchette	un robinet	
un couteau	un frigo	le sel	

© EMC *Idées pratiques pour la classe de français*

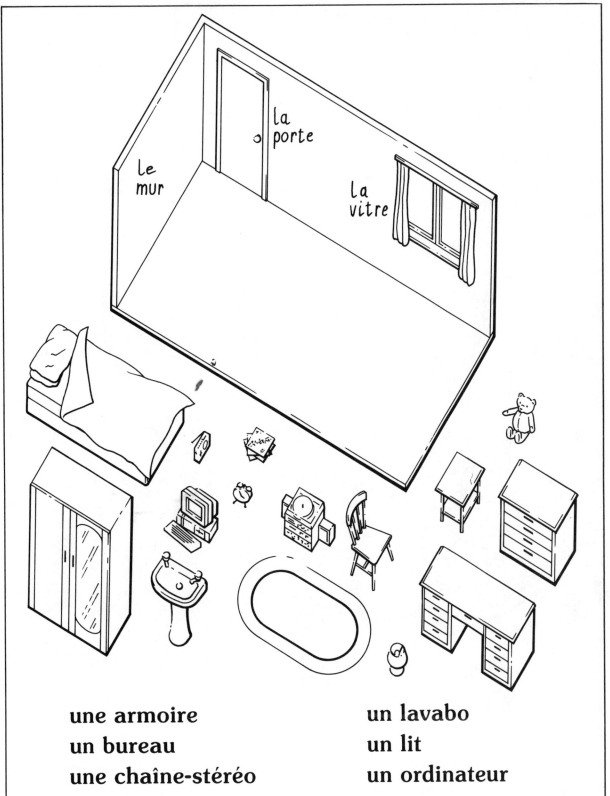

une armoire	un lavabo
un bureau	un lit
une chaîne-stéréo	un ordinateur
une chaise	un ours
une commode	une radio
des disques	un réveil
une glace	une table de nuit
une lampe	un tapis

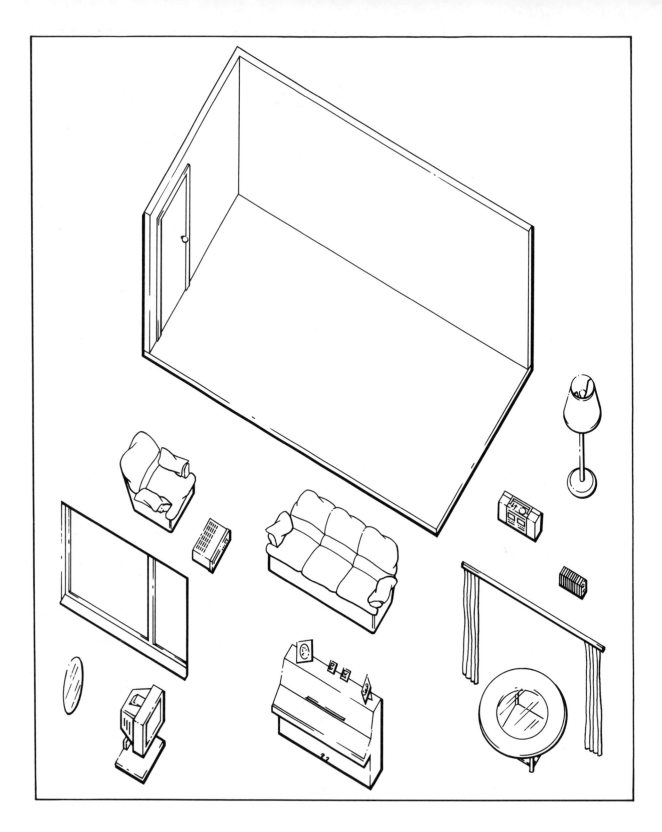

un canapé	une lampe	un poste de
des cassettes	un magnétophone	télévision
un fauteuil	un magnétoscope	les rideaux
une fenêtre	des photos	une table
une glace	un piano	

balayer   faire la lessive   nettoyer

bricoler   faire le lit   passer l'aspirateur

faire les courses   faire la vaisselle   repasser

faire la cuisine   mettre la table   travailler dans le jardin

se brosser les dents	arriver au collège	quitter le collège
se coucher	écouter la radio	ranger ses affaires
s'habiller	faire ses devoirs	regarder la télévision/télé
se laver	prendre le petit déjeuner	revenir à la maison
se lever	prendre une douche	sortir
se réveiller	quitter la maison	travailler

BORDEAUX

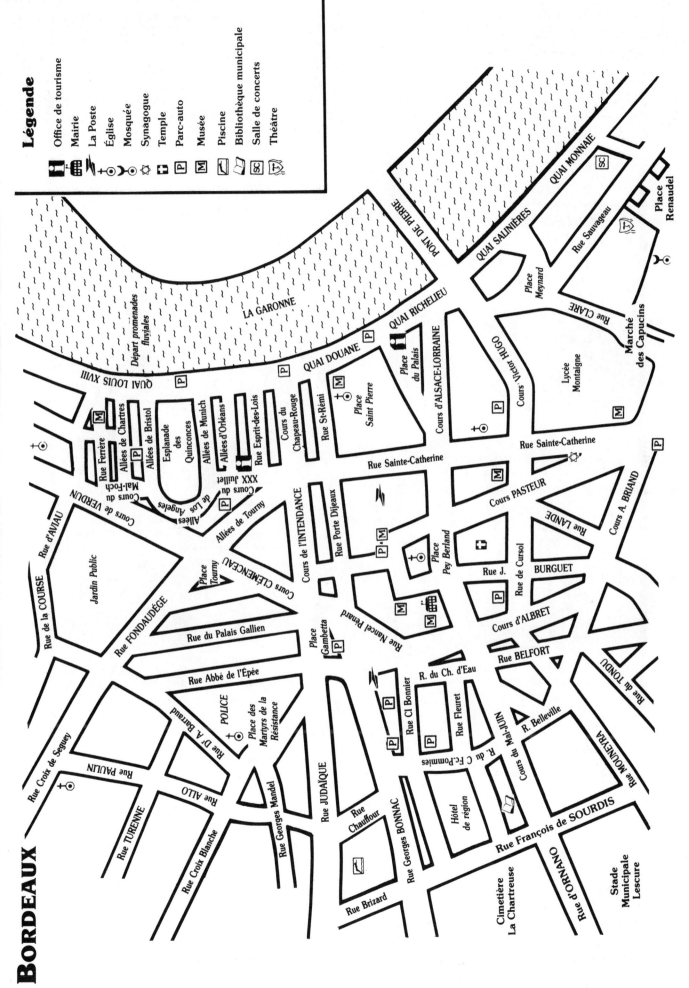

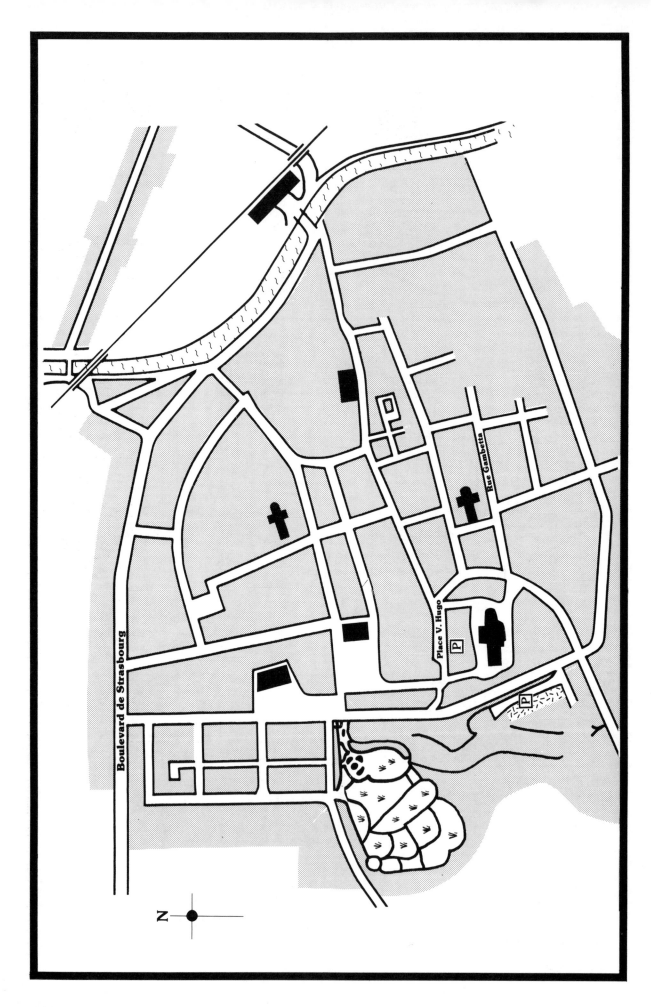

Boulevard de Strasbourg

Place V. Hugo

Rue Gambetta

N

© EMC *Idées pratiques pour la classe de français*

une auberge de jeunesse
une banque
le château
un cinéma
un collège
le commissariat
une discothèque
une église
l'hôpital
un jardin public
la mairie

la maison des jeunes
le marché
le musée
la piscine
la poste
le stade
un supermarché
le syndicat d'initiative/
    l'office de tourisme
le théâtre

zone à stationnement de
durée limitée
(avec contrôle par disque)

**STATIONNEMENT
INTERDIT**

*Défense de
marcher
sur les pelouses*

DÉFENSE DE FUMER

PLAGE

LIBRE-SERVICE

Interdit aux vélos

sens unique

Interdit aux piétons

Baignade Interdite

Camping Interdit

Défense de stationner

OUVERT

Interdit à tout véhicule

PÉAGE à 1000 m

Fermé

DANGER

PRIORITÉ À DROITE

TOUTES DIRECTIONS ➡

SORTIE

ENTRÉE

en aéroglisseur   à mobylette

en autobus   à moto

en avion   en patins à roulettes

en bateau   à pied

en camion   en train

en métro   à vélo

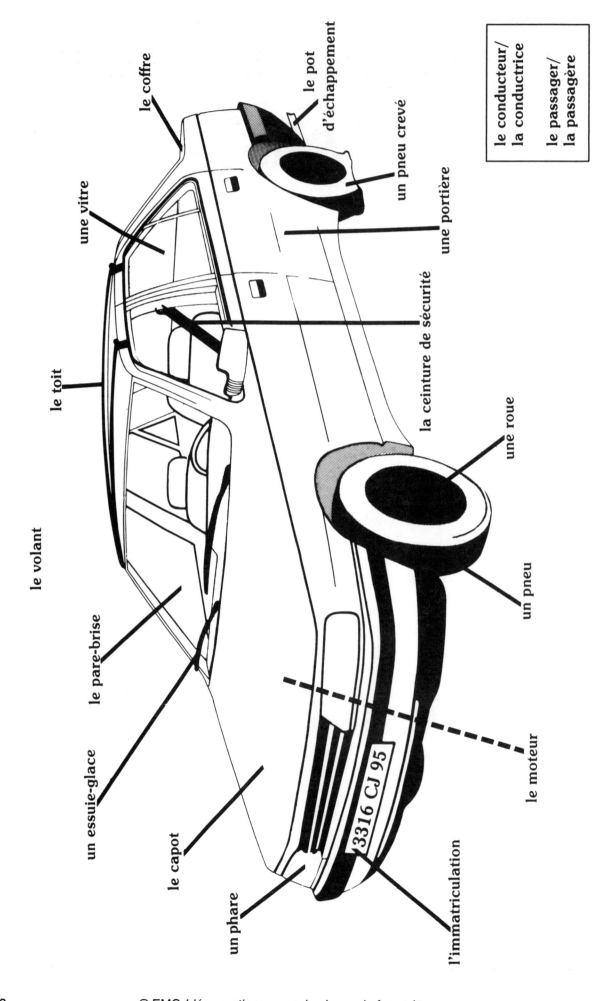

le coffre

le pot d'échappement

un pneu crevé

une portière

la ceinture de sécurité

une vitre

le toit

une roue

le volant

un pneu

le pare-brise

un essuie-glace

le capot

le moteur

l'immatriculation

3316 CJ 95

un phare

le conducteur/
la conductrice

le passager/
la passagère

LA FRANCE PAR LE TRAIN

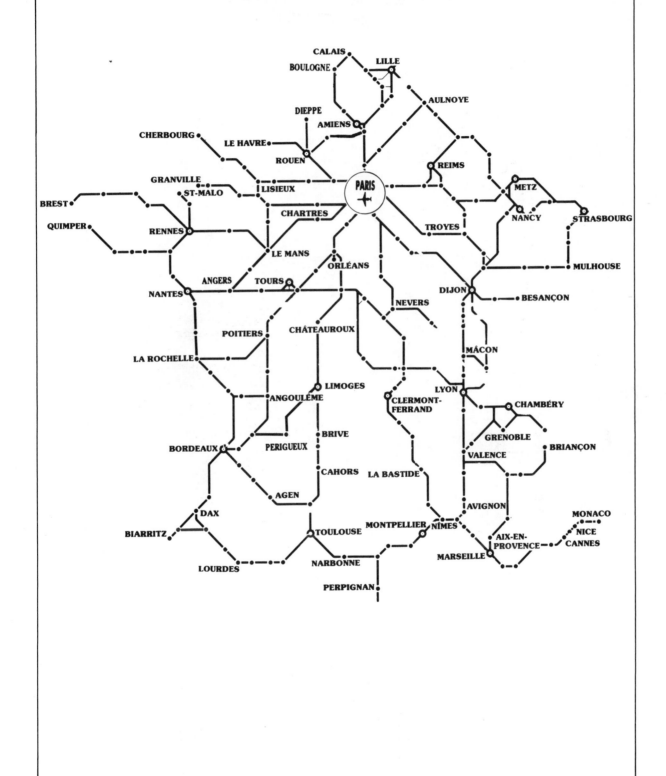

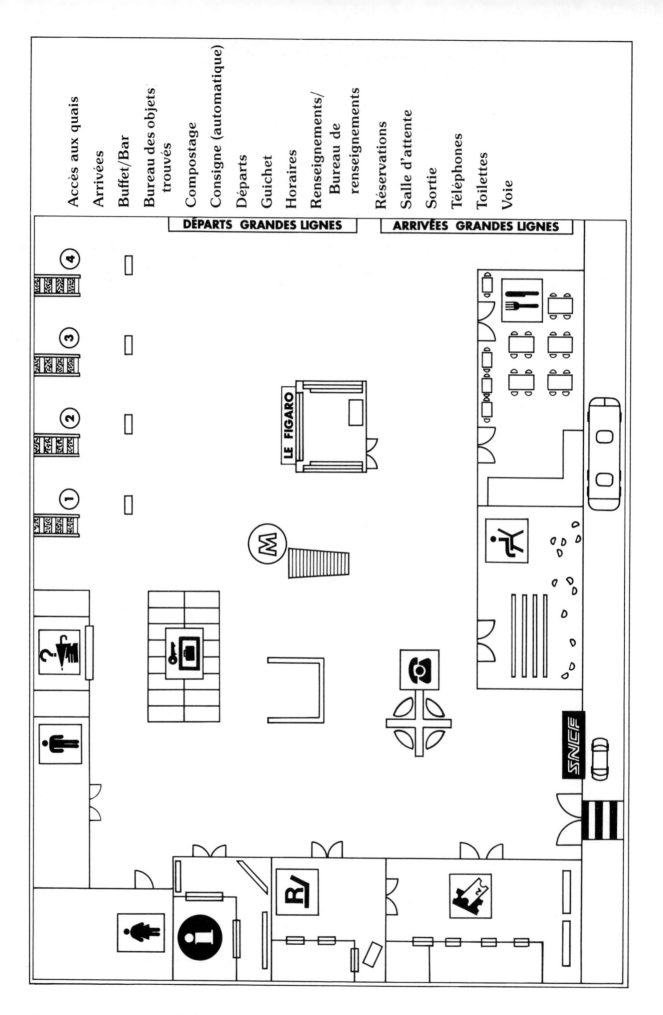

Accès aux quais
Arrivées
Buffet/Bar
Bureau des objets trouvés
Compostage
Consigne (automatique)
Départs
Guichet
Horaires
Renseignements/ Bureau de renseignements
Réservations
Salle d'attente
Sortie
Téléphones
Toilettes
Voie

DÉPARTS GRANDES LIGNES

ARRIVÉES GRANDES LIGNES

LE FIGARO

SNCF

© EMC *Idées pratiques pour la classe de français*

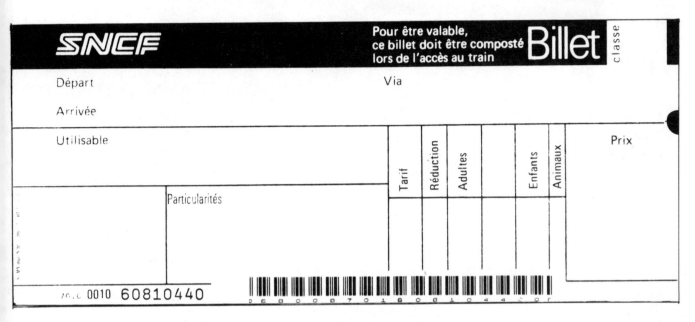

un billet

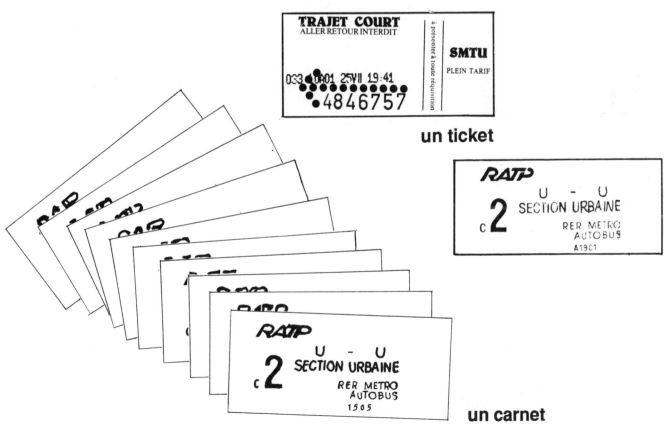

un ticket

un carnet

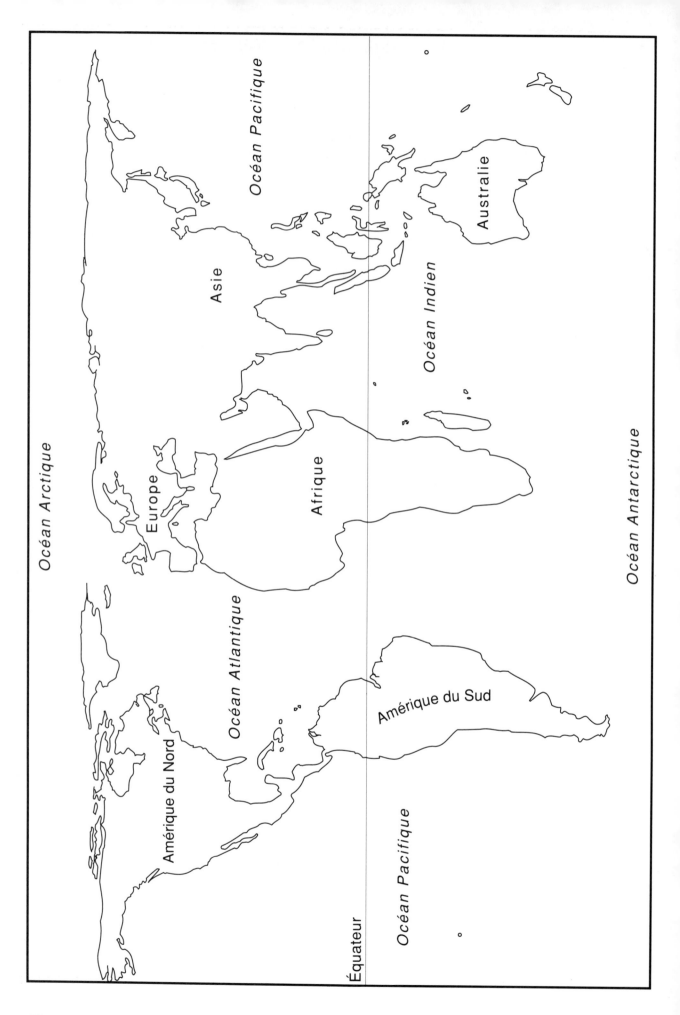

Océan Arctique

Océan Pacifique

Asie

Australie

Océan Indien

Europe

Afrique

Océan Antarctique

Amérique du Nord

Océan Atlantique

Amérique du Sud

Équateur

Océan Pacifique

© EMC *Idées pratiques pour la classe de français*

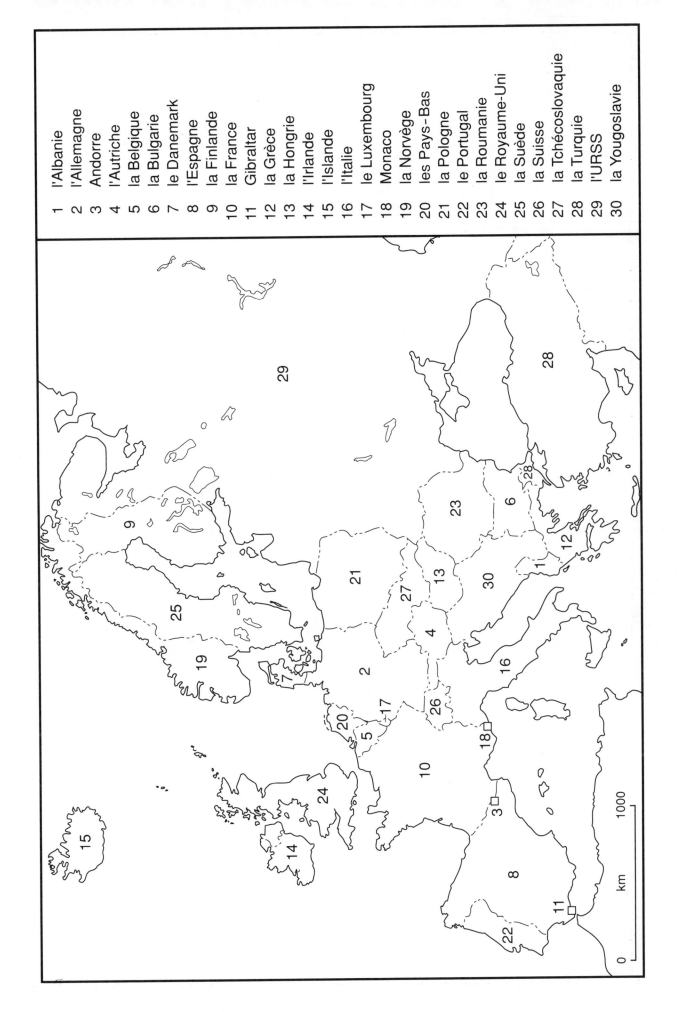

1	l'Albanie
2	l'Allemagne
3	Andorre
4	l'Autriche
5	la Belgique
6	la Bulgarie
7	le Danemark
8	l'Espagne
9	la Finlande
10	la France
11	Gibraltar
12	la Grèce
13	la Hongrie
14	l'Irlande
15	l'Islande
16	l'Italie
17	le Luxembourg
18	Monaco
19	la Norvège
20	les Pays-Bas
21	la Pologne
22	le Portugal
23	la Roumanie
24	le Royaume-Uni
25	la Suède
26	la Suisse
27	la Tchécoslovaquie
28	la Turquie
29	l'URSS
30	la Yougoslavie

ROYAUME-UNI

BELGIQUE

ALLEMAGNE

● Calais

Boulogne ●

● Lille

LUXEMBOURG

la Manche

● Dieppe

Cherbourg ●

● Le Havre

● Paris

Strasbourg ●

Seine

FRANCE

Loire

SUISSE

Nantes ●

L'Atlantique

Le Massif Central

Lyon ●

Les Alpes

ITALIE

Bordeaux ●

Garonne

Rhône

Toulouse ●

Les Pyrénées

Marseille ●

La Méditerranée

ESPAGNE

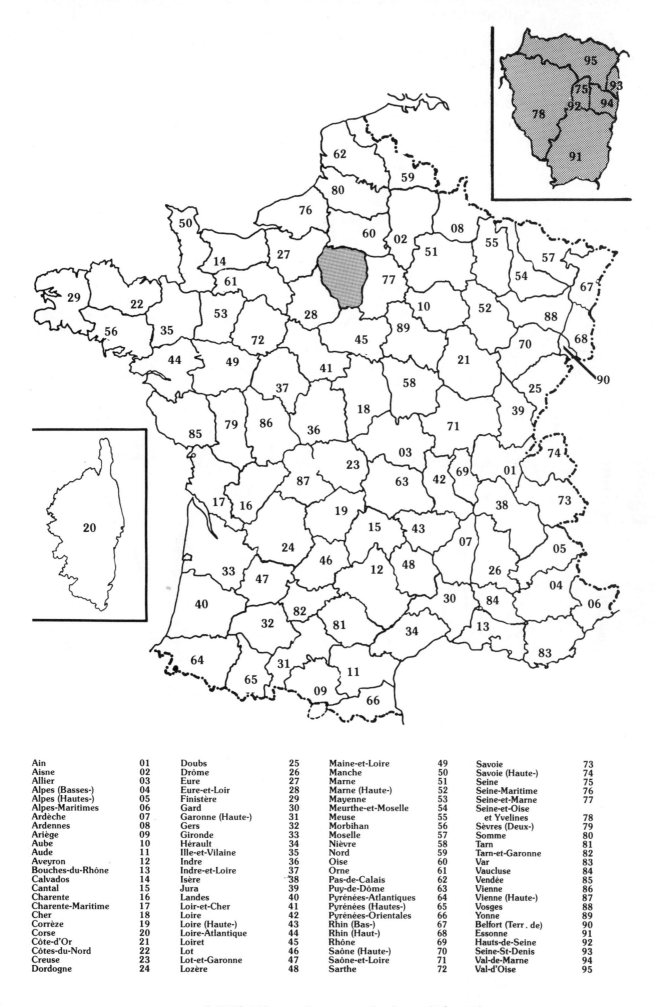

Ain	01	Doubs	25	Maine-et-Loire	49	Savoie	73
Aisne	02	Drôme	26	Manche	50	Savoie (Haute-)	74
Allier	03	Eure	27	Marne	51	Seine	75
Alpes (Basses-)	04	Eure-et-Loir	28	Marne (Haute-)	52	Seine-Maritime	76
Alpes (Hautes-)	05	Finistère	29	Mayenne	53	Seine-et-Marne	77
Alpes-Maritimes	06	Gard	30	Meurthe-et-Moselle	54	Seine-et-Oise	
Ardèche	07	Garonne (Haute-)	31	Meuse	55	et Yvelines	78
Ardennes	08	Gers	32	Morbihan	56	Sèvres (Deux-)	79
Ariège	09	Gironde	33	Moselle	57	Somme	80
Aube	10	Hérault	34	Nièvre	58	Tarn	81
Aude	11	Ille-et-Vilaine	35	Nord	59	Tarn-et-Garonne	82
Aveyron	12	Indre	36	Oise	60	Var	83
Bouches-du-Rhône	13	Indre-et-Loire	37	Orne	61	Vaucluse	84
Calvados	14	Isère	38	Pas-de-Calais	62	Vendée	85
Cantal	15	Jura	39	Puy-de-Dôme	63	Vienne	86
Charente	16	Landes	40	Pyrénées-Atlantiques	64	Vienne (Haute-)	87
Charente-Maritime	17	Loir-et-Cher	41	Pyrénées (Hautes-)	65	Vosges	88
Cher	18	Loire	42	Pyrénées-Orientales	66	Yonne	89
Corrèze	19	Loire (Haute-)	43	Rhin (Bas-)	67	Belfort (Terr . de)	90
Corse	20	Loire-Atlantique	44	Rhin (Haut-)	68	Essonne	91
Côte-d'Or	21	Loiret	45	Rhône	69	Hauts-de-Seine	92
Côtes-du-Nord	22	Lot	46	Saône (Haute-)	70	Seine-St-Denis	93
Creuse	23	Lot-et-Garonne	47	Saône-et-Loire	71	Val-de-Marne	94
Dordogne	24	Lozère	48	Sarthe	72	Val-d'Oise	95

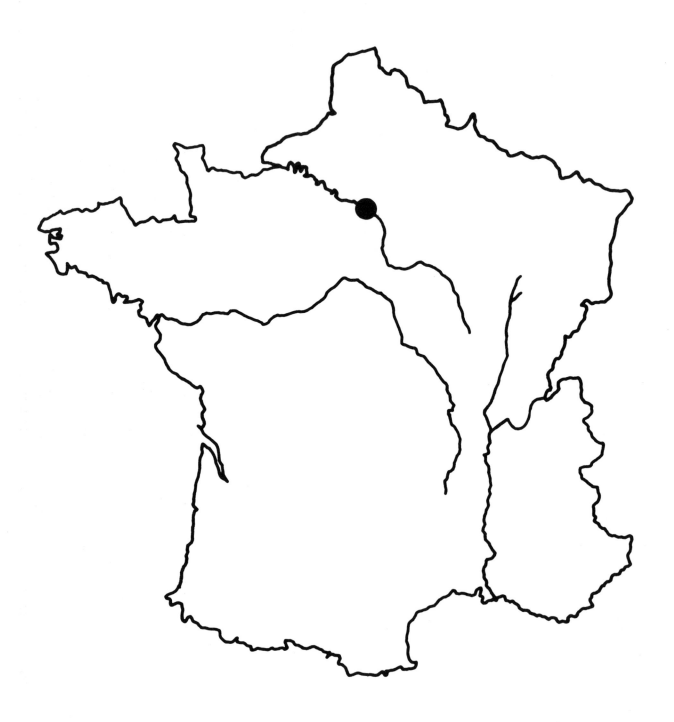

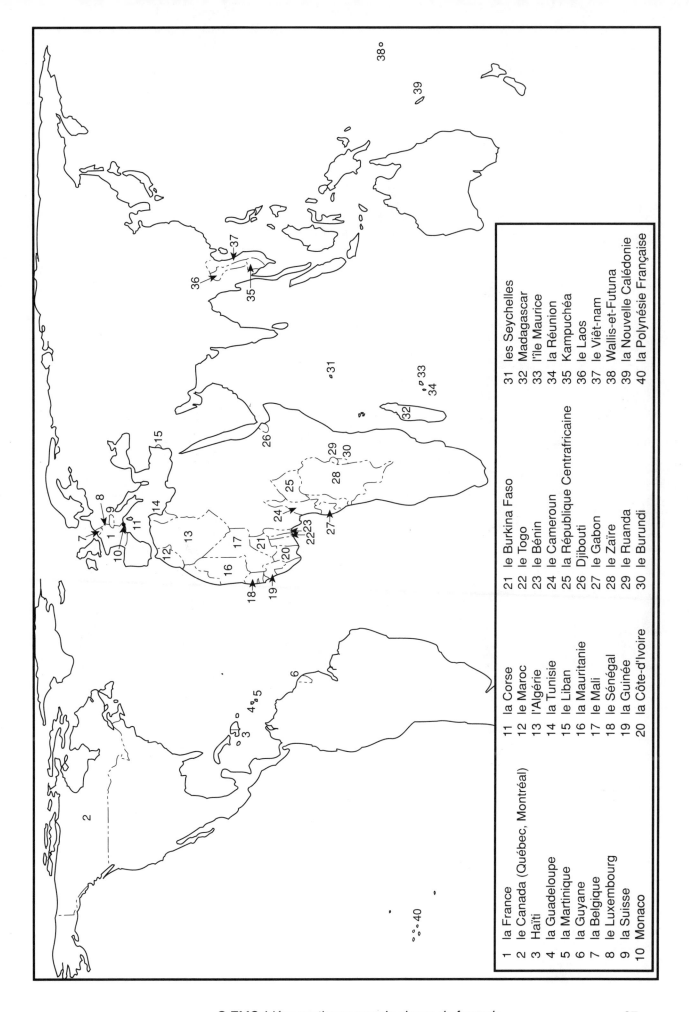

1	la France	11	la Corse	21 le Burkina Faso	31 les Seychelles
2	le Canada (Québec, Montréal)	12	le Maroc	22 le Togo	32 Madagascar
3	Haïti	13	l'Algérie	23 le Bénin	33 l'île Maurice
4	la Guadeloupe	14	la Tunisie	24 le Cameroun	34 la Réunion
5	la Martinique	15	le Liban	25 la République Centrafricaine	35 Kampuchéa
6	la Guyane	16	la Mauritanie	26 Djibouti	36 le Laos
7	la Belgique	17	le Mali	27 le Gabon	37 le Viêt-nam
8	le Luxembourg	18	le Sénégal	28 le Zaïre	38 Wallis-et-Futuna
9	la Suisse	19	la Guinée	29 le Ruanda	39 la Nouvelle Calédonie
10	Monaco	20	la Côte-d'Ivoire	30 le Burundi	40 la Polynésie Française

Déclaration d'arrivée

Date d'arrivée	
Date probable de départ	
Nom de famille	
Prénom	
Date de naissance	
Nationalité	
Adresse (rue, numéro)	
Code postal	
Nombre d'enfants	
Signature du client(e)	

Auberge de jeunesse

Fiche.....

No. de passeport ....

Carte d'A. J. no. ....

NOM...

Prénom..

Né le..

Adresse. ....

....

Nationalité...

Nombre de personnes..

CAMPING DE LA PLAGE
14860 RANVILLE - France

FACTURE No ....

Ouvert toute l'année
Location caravanes, mobilhomes -
Sanitaire avec eau chaude et chauffé

NOM .... Prénoms ....

Adresse ....

Voiture .... Couleur .... No. ....

Caravane .... Couleur .... No. ....

Emplacement ....

Adulte(s) .... X ....

Enfant(s) .... X ....

Caravane .... X ....

Tente .... X ....

Voiture .... X ....

Chiens/chats (tenus en laisse) ....

Électricité .... Amp ....

Garage ....

Total journalier F ....

Du .... à .... = ... jours

TOTAL: F ....

Payé chèque/espèces le ....

CAMPING DE LA PLAGE
14860 RANVILLE - France

FACTURE No 04310

Ouvert toute l'année
Location caravanes, mobilhomes -
Sanitaire avec eau chaude et chauffé

NOM SMITH Prénoms B.

Adresse Angleterre

Voiture Ford Couleur Rouge No 5402 AHD

Caravane .... Couleur .... No. ....

Emplacement ....

Adulte(s) 3 X 12,00 36,00

Enfant(s) 4 X 8,00 32,00

Caravane X

Tente 3 X 7,50 22,50

Voiture 2 X 4,00 8,00

Chiens/chats (tenus en laisse) ....

Électricité .... Amp ....

Garage ....

Total journalier F 98,50

Du 30.07.90 à 31.07.90 = 1 jours

TOTAL: F ....

Payé chèque/espèces le ....

ascenseur

avec douche

avec salle de bains

bords de mer, rivière ou lac

chambres accessibles aux
  handicapés physiques

chiens admis

chiens non admis

forêt

groupes

ouvert toute l'année

parking

piscine

restaurant

salon pour séminaires

téléphone dans les chambres

télévision dans les chambres

Hôtel Bagatelle

10, rue Saint-Paul
38000 Grenoble
Tél. (28)40.69.98

Le................................... Chambre No ....

No.004813
Avez-vous déposé votre clé?

MONTANT		
Téléphone		
Taxe séjour		
TOTAL		

RESTAURANT
La Coquille

8, rue de l'Arche
37550 Saint-Avertin

Table no .... Le ....

Merci de votre visite À bientôt

Montant		
Service %		
Total à payer		

© EMC *Idées pratiques pour la classe de français*

des allumettes
un canif
un camping-gaz
une casserole
une lampe de poche
un ouvre-boîte
un sac à dos
un sac de couchage
une tente

≽ TÉLÉGRAMME

Services spéciaux demandés : (voir au verso)	Inscrire en **CAPITALES** l'adresse complète (rue, n° bloc, bâtiment, escalier, etc...), le texte et la signature (une lettre par case ; laisser une case blanche **entre les mots**).
	Nom et adresse

TEXTE et éventuellement signature très lisible

Pour accélérer la remise des télégrammes indiquer le cas échéant, le numéro de téléphone (1) ou de télex du destinataire
TF _____ TLX _____

Pour avis en cas de non remise, indiquer le nom et l'adresse de l'expéditeur (2) :

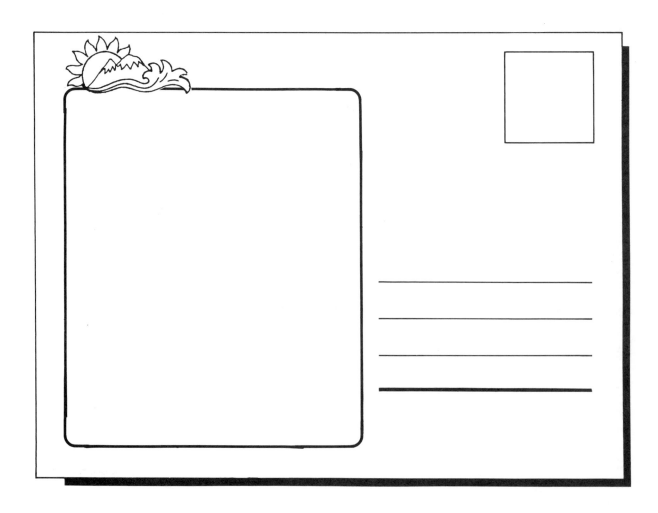

© EMC *Idées pratiques pour la classe de français*

(Adresse)

Monsieur le Directeur
Hôtel de la Paix
rue des Anges
Belleville

........., ..., 19.......

Monsieur,

Je vous serais obligé(e) de me communiquer vos conditions et tarifs pour un séjour de .... nuits du .... jusqu'au ....(dates).

Nous sommes .... adultes et .... enfants (........... filles âgées de .... ans et .... ans, et .... garçons âgés de .... ans et .... ans).

Je voudrais réserver .... chambres à un lit (avec bain/douche).
                          .... chambres à deux lits (avec bain/douche).
                          .... chambres à grand lit (avec bain/douche).

Nous désirons la pension complète.
             la demi-pension.
             la chambre et le petit déjeuner seulement.

Veuillez trouver ci-joint un coupon-réponse international.

Je vous prie de croire, Monsieur, à l'expression de mes sentiments distingués.

(Signature)

du beurre	de l'eau minérale	du riz
un bifteck	du fromage	de la salade
des biscuits	un gâteau	du saucisson
du bœuf	une glace	de la soupe en sachet
du café	du jambon	du sucre
des chips	du poisson	un yaourt
de la confiture	un poulet	

des abricots	**des choux**	**des pêches**
de l'ail	**des choux-fleurs**	**des petits pois**
des ananas	**des citrons**	**des poireaux**
des artichauts	**des fraises**	**des pommes**
des bananes	**des framboises**	**des pommes de terre**
des carottes	**des haricots verts**	**du raisin**
des cerises	**des oignons**	**des tomates**
des champignons	**des oranges**	

une barquette de ...
une boîte de ...
une bouteille de ...
une douzaine de ...
500 grammes de ...
un kilo de ...
un litre de ...

un morceau de ...
un paquet de ...
un pot de ...
une tranche de ...
un tube de ...
un verre de ...

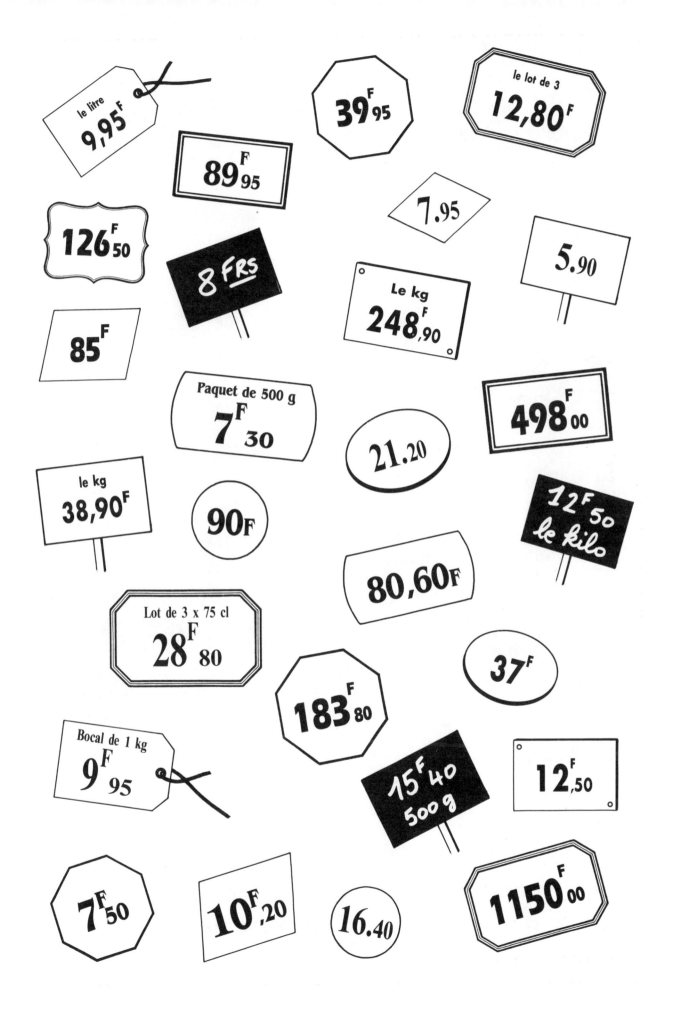

TARIF DES CONSOMMATIONS

PRIX

CAFÉ

CHOCOLAT
THÉ

LAIT
EAU minérale Evian
            Perrier
            Vichy

JUS DE FRUITS Orange
              Pomme
CITRON PRESSÉ

COCA-COLA
LIMONADE

un café	un Coca-Cola	une limonade
un chocolat	de l'eau minérale	un thé
un cidre	un jus d'orange	
un citron pressé	un jus de pomme	
	du lait	

Chez Jean-Paul

Suggestions du jour

Consommé au vermicelle   Soupe de poisson

Hors-d'œuvre

Assiette de crudités   Assiette de charcuterie
Pâté du chef   Thon mayonnaise
Sardines beurre   Moules marinière
Pamplemousse au naturel

Viandes et poissons

Escalope de veau à la crème   Tripes à la mode de Caen
Canard à l'orange   Poulet au riz
Entrecôte bordelaise   Coq au vin
Côtelette de porc   Sole meunière
Truite aux amandes

Omelettes au choix (champignons, espagnole, fines herbes, jambon, nature)

Légumes

Pommes duchesse   Pommes frites
Petits pois   Haricots verts au beurre
Salade verte

Fromages

Brie   Gruyère   Emmenthal
Chèvre   Camembert   Port-Salut

Desserts

Crème au caramel   Baba au rhum
Glace maison   Tarte aux pommes
Crêpes bretonnes

Boissons

Vin rouge du pays   Vin blanc du pays
Beaujolais Villages   Côtes du Rhône
Mâcon   Bière
Coca   Eau minérale
Café

Service et taxes en supplément - 15%

Au Petit Galop

Menu à prix fixe - 60 francs

Soupe à l'oignon
Melon
Artichaut vinaigrette
Salade de tomates

———

Poulet rôti garni
Escalope de veau
Steak frites
Omelette aux fines herbes

———

Fromage
Tarte aux fraises
Glace
Fruits

———

Service compris

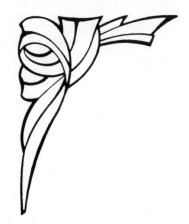

Hors-d'œuvre

Entrées

Légumes

Desserts

Boissons

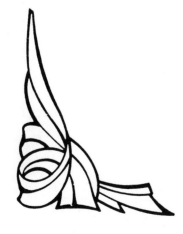

Je mange . . . Je bois . . .

Nom...

	le matin	à midi	le soir	entre les repas
lundi				
mardi				
mercredi				
jeudi				
vendredi				
samedi				
dimanche				

Fiche de cuisine

Recette: _____

Ingrédients

Marche à suivre

Temps de préparation

Temps de cuisson ou de réfrigération

Résultat / Réaction / Opinion

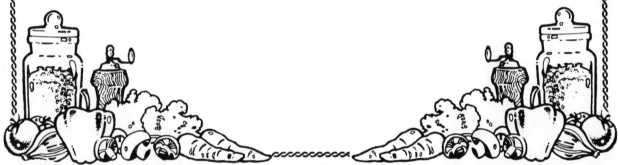

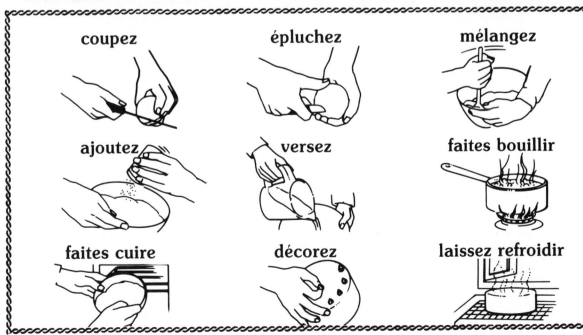

coupez   épluchez   mélangez

ajoutez   versez   faites bouillir

faites cuire   décorez   laissez refroidir

© EMC *Idées pratiques pour la classe de français*

la boulangerie

la boutique de vêtements

le bureau de tabac

la charcuterie

la crémerie

le grand magasin

le magasin de chaussures

le magasin de sports

le marchand de fruits et légumes

la parfumerie

la pâtisserie

la pharmacie

un anorak

des baskets

un blouson

un chapeau

des chaussures d'homme

un chemisier

un manteau

un pantalon

un slip de bain

un sweat-shirt

une veste

à pois

à carreaux

rayé(e)(s)

des chaussettes   un pyjama

des chaussures de femme   un survêtement

une chemise   un tee-shirt

un imperméable

un jean   *à pois*

une jupe   *à carreaux*

un maillot de bain   *rayé(e)(s)*

un pull

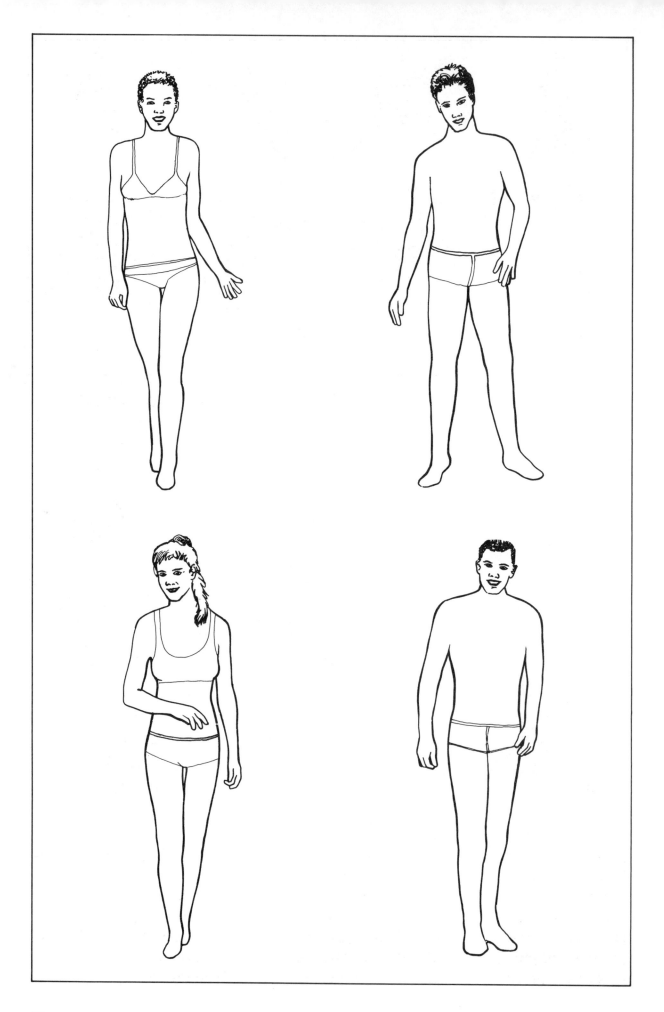

jouer au badminton	jouer au tennis	faire de la planche à voile
jouer au basket	jouer au tennis de table	faire de la voile
jouer au cricket	aller à la pêche	faire du canoë
jouer au football	faire de l'équitation	faire du jogging
jouer au hockey	faire de la gymnastique	faire du patin à roulettes
jouer au rugby	faire de l'haltérophilie	faire du ski
jouer au squash	faire de la natation	faire du vélo

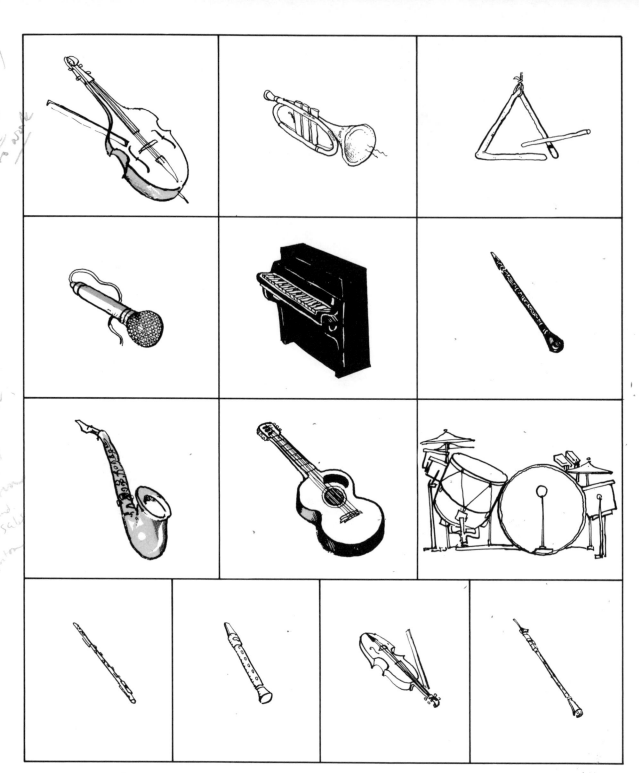

chanter √

jouer de la batterie

jouer de la clarinette

jouer de la flûte

jouer de la flûte à bec

jouer de la guitare

jouer de la trompette

jouer du hautbois

jouer du piano

jouer du saxophone

jouer du triangle

jouer du violon

jouer du violoncelle

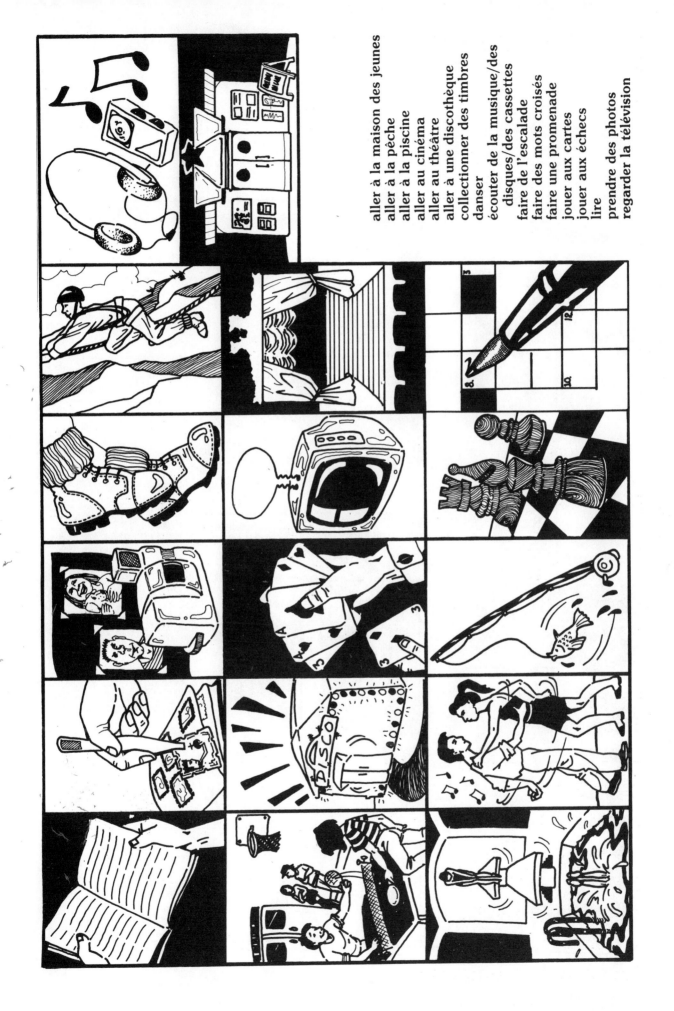

aller à la maison des jeunes
aller à la pêche
aller à la piscine
aller au cinéma
aller au théâtre
aller à une discothèque
collectionner des timbres
danser
écouter de la musique/des
disques/des cassettes
faire de l'escalade
faire des mots croisés
faire une promenade
jouer aux cartes
jouer aux échecs
lire
prendre des photos
regarder la télévision

SONDAGE

Tu aimes ...?	J'adore ...	J'aime ...	Bof!	Je n'aime pas ...	Je déteste ...

un bulletin météo	un film policier
un dessin animé	les informations
un documentaire	un jeu télévisé
une émission de musique	les publicités
une émission de sports	une pièce de théâtre
un feuilleton	un western

Un Italien tué en Corse

Philippines – la terre continue de trembler

Elle annonce son suicide et disparaît

Mir – inquiétude pour les cosmonautes

Mitterrand marque un point

L'informatique à l'école – scandale! Ordinateurs étrangers dans les écoles françaises

Afrique du Sud – le calme revient après des manifestations violentes

Moyen-Orient – quel avenir pour cette région du globe?

À 14 ans, il a été condamné à quatre mois de prison

Trafic d'armes entre le Liban et la France

Une autre bombe dans une poste à Madrid

Le mauvais temps persiste sur l'Europe – des dizaines de morts, des dégâts considérables

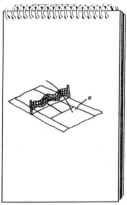   

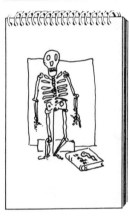   

   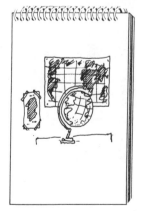

allemand
anglais
chimie
dessin

éducation physique
et sportive
espagnol
français

géographie
histoire
informatique
italien

mathématiques
musique
physique
sciences naturelles
travaux manuels

Emploi du temps

⏰	LUNDI	MARDI	MERCREDI	JEUDI	VENDREDI	SAMEDI
8						
9						
10						
11						
12						
13						
14						
15						
16						
17						
18						

Année scolaire:			Trimestre:
NOM:			
PRÉNOM:			
CLASSE:			EFFECTIF:

Matières	Travail	Résultats	Appréciations des professeurs
MATHS			
SCIENCES PHYSIQUES			
SCIENCES NATURELLES			
FRANÇAIS			
LANGUES VIVANTES: Allemand			
Anglais			
Espagnol			
HISTOIRE-GÉOGRAPHIE			
TRAVAUX MANUELS			
INFORMATIQUE			
Dessin			
Musique			
E.P.S.			
Niveau général:			

Mathématiques et lecture à travailler en vacances, si possible!
Attention à l'écriture!
Résultats passables.
Bon élève./Bonne élève.
De graves insuffisances en composition.
Devrait progresser.
Insuffisant.
Bonne participation.
Élève sérieuse et intéressée.
Élève intelligent mais paresseux.
Élève travailleur/travailleuse.

Résultats satisfaisants dans l'ensemble.
Élève très gentil(le) et souriant(e).
Quelques difficultés mais de la bonne volonté.
Travail consciencieux.
Satisfaisant.
Élève actif/active et dynamique.
Bons résultats - continuez!
Encore des problèmes.
Un peu timide à l'oral.
Un peu bavard(e) en classe.

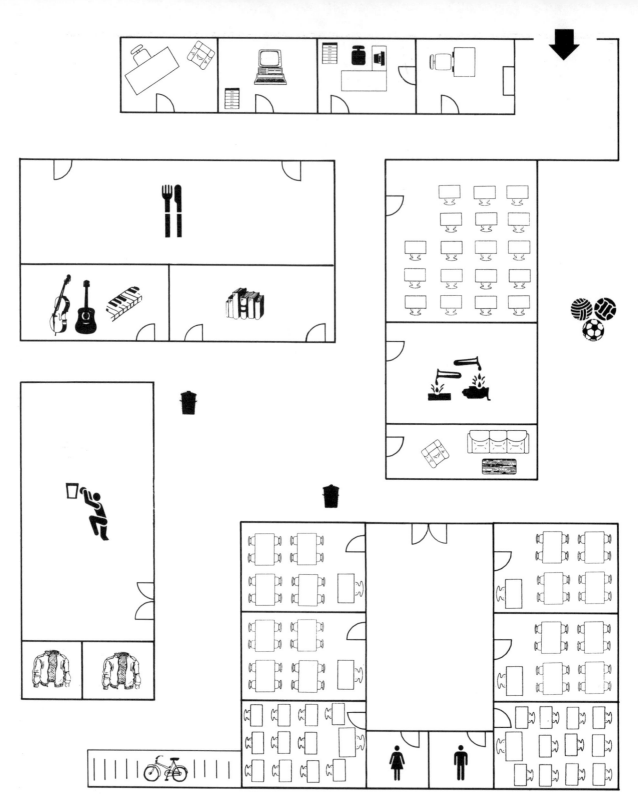

**le bureau du directeur ou
de la directrice**
la cantine
**le CDI (centre de documentation
et d'information)**
la cour
l'entrée
le gymnase
les laboratoires
les salles de classe

la salle des professeurs
le terrain de sport
les toilettes
les vestiaires
la salle d'étude
la salle de musique
l'intendance
le préau
le secrétariat
la réception

© EMC *Idées pratiques pour la classe de français*

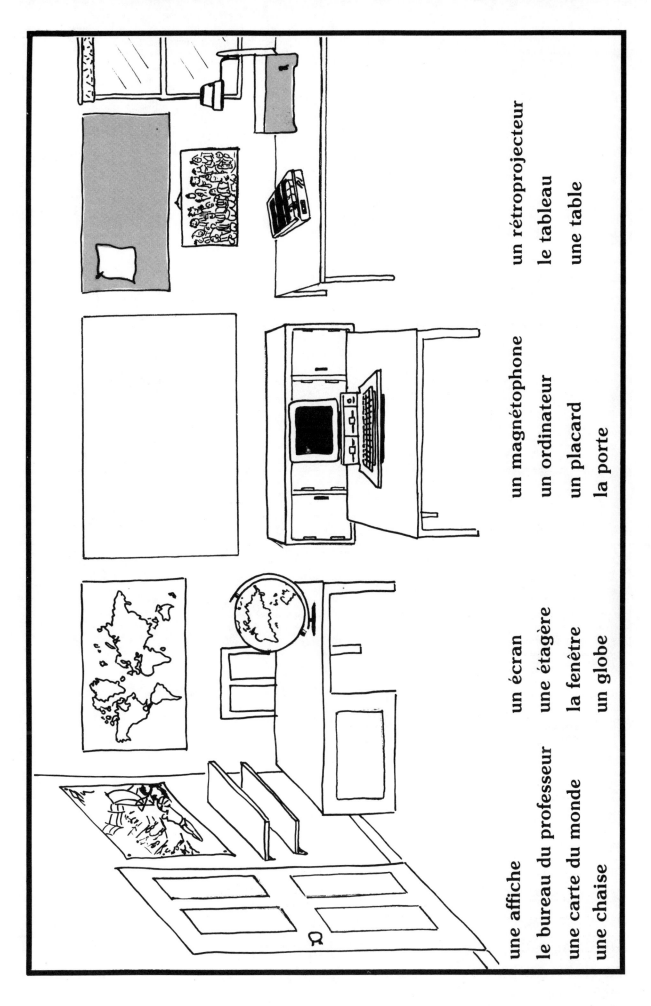

un rétroprojecteur
le tableau
une table

un magnétophone
un ordinateur
un placard
la porte

un écran
une étagère
la fenêtre
un globe

une affiche
le bureau du professeur
une carte du monde
une chaise

un atlas

un cahier

une calculatrice

un cartable

une cassette

un compas

un crayon

un dictionnaire

un feutre

une gomme

un livre

un ordinateur

une règle

un stylo

une trousse

CLASSE:

Réglementation de notre classe de français

CURRICULUM VITAE

Nom:

Prénoms:

Adresse:

Numéro de téléphone:

Date de naissance:

Lieu de naissance:

Nationalité:

FORMATION

Établissements scolaires:

Diplômes:

Clubs et activités parascolaires:

EXPÉRIENCE PROFESSIONNELLE

AUTRES RENSEIGNEMENTS

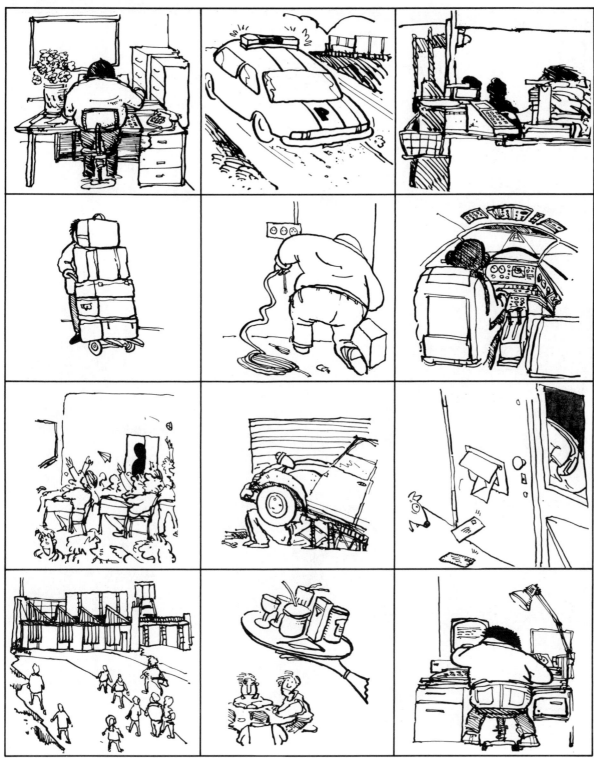

agent de police/femme agent   serveur/serveuse
électricien/électricienne   caissier/caissière
facteur/factrice
garagiste   un café
opérateur/opératrice   un collège/lycée
programmeur/programmeuse   un garage
ouvrier/ouvrière   une gare
pilote   un supermarché
porteur   une société (d'assurances/financière)
professeur   une usine
secrétaire

agriculteur/agricultrice
chef de cuisine
coiffeur/coiffeuse
chômeur/chômeuse
employé/employée de bureau
femme/homme au foyer
hôtesse de l'air/steward

infirmier/infirmière
médecin/femme médecin
pompier

un bureau
une ferme
un hôpital
à la maison

© EMC *Idées pratiques pour la classe de français*

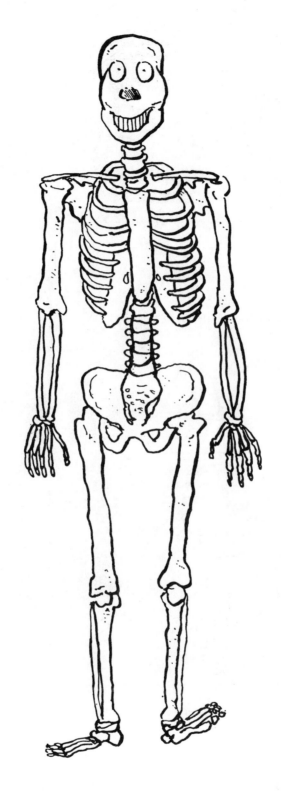

la bouche	le genou	la tête
le cœur	la jambe	le ventre
le cou	la main	le visage
les dents	le nez	les yeux
le doigt	les oreilles	
le dos	le pied	

avoir mal à la gorge   avoir mal au dos   avoir le bras cassé
avoir mal à la jambe   avoir mal au ventre   avoir un coup de soleil
avoir mal à la main   avoir mal aux dents   avoir la grippe
avoir mal à la tête   avoir mal aux oreilles   avoir la jambe cassée
avoir mal au bras   avoir mal aux yeux   avoir le mal de mer
avoir mal au cœur   avoir de la fièvre   avoir un rhume

© EMC *Idées pratiques pour la classe de français*

A. **8,66 $**

B. **0,95 $** (95 ¢)

C. **4,33 $**

D. SAVON **2,00 $**

E. MICRON **3,95 $**

F. parfenac crème **18,00 $**

G. Aspirine UPSA **7,81 $**

H. avibon pommade **9,70 $**

I. DEN SANTÉ sparadrap tissu **5,19 $**

J. DOLIPRANE **11,61 $**

K. **3,99 $**

de l'aspirine	des pansements
un bandage	un peigne
une brosse à dents	du savon
des cachets /des comprimés	du shampooing
de la crème	du sparadrap
	un tube de pommade

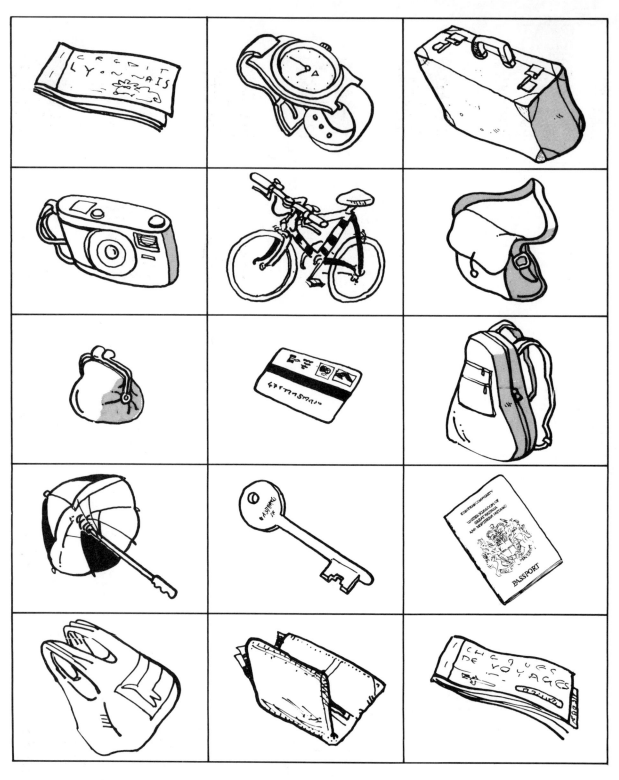

un appareil-photo

un carnet de chèques

une carte de crédit

des chèques de voyage

une clé

une montre

un parapluie

un passeport

un portefeuille

un porte-monnaie

un sac à dos

un sac à main

un sac en plastique

une valise

un vélo

FRANCE

BELGIQUE

SUISSE

FRANCE

BELGIQUE

SUISSE

© EMC *Idées pratiques pour la classe de français*

FRANCE

BELGIQUE

SUISSE

En été

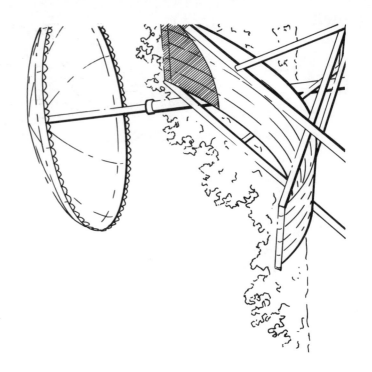

Au printemps

En hiver

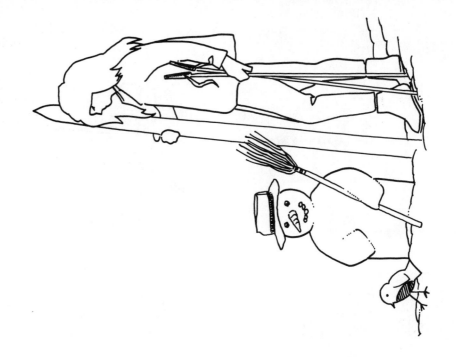

En automne

il fait beau   il fait du brouillard   il y a de l'orage

il fait chaud   il fait du soleil   il pleut

il fait froid   il fait du vent   il gèle

il fait mauvais   il y a des nuages   il neige

Ensoleillé	☀	☁🌧	**Averses**
Éclaircies	⛅	/////	**Pluies**
Nuageux	🌤	⛈	**Orages**
Très nuageux	☁	❄	**Neige**
Couvert	☁	➡	**Verglas**
Bruine	/////	〰	**Brumeux**

La météo

Degrés Celsius

50°

40°

30°

20°

10°

0°

−10°

AUJOURD'HUI

Aujourd'hui c'est le ....

Il fait ....

Le ciel est ....

Le vent ....

La température est   °C.

DEMAIN

La prévision pour demain:

Temps ....

....

....

Température maximale   °C.

Température minimale   °C.

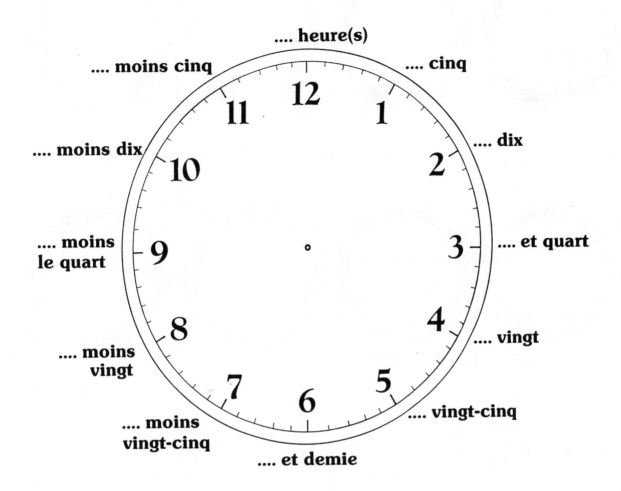

.... heure(s)

.... moins cinq

.... cinq

.... moins dix

.... dix

.... moins le quart

.... et quart

.... moins vingt

.... vingt

.... moins vingt-cinq

.... vingt-cinq

.... et demie

il est une heure

il est six heures

il est midi

il est minuit

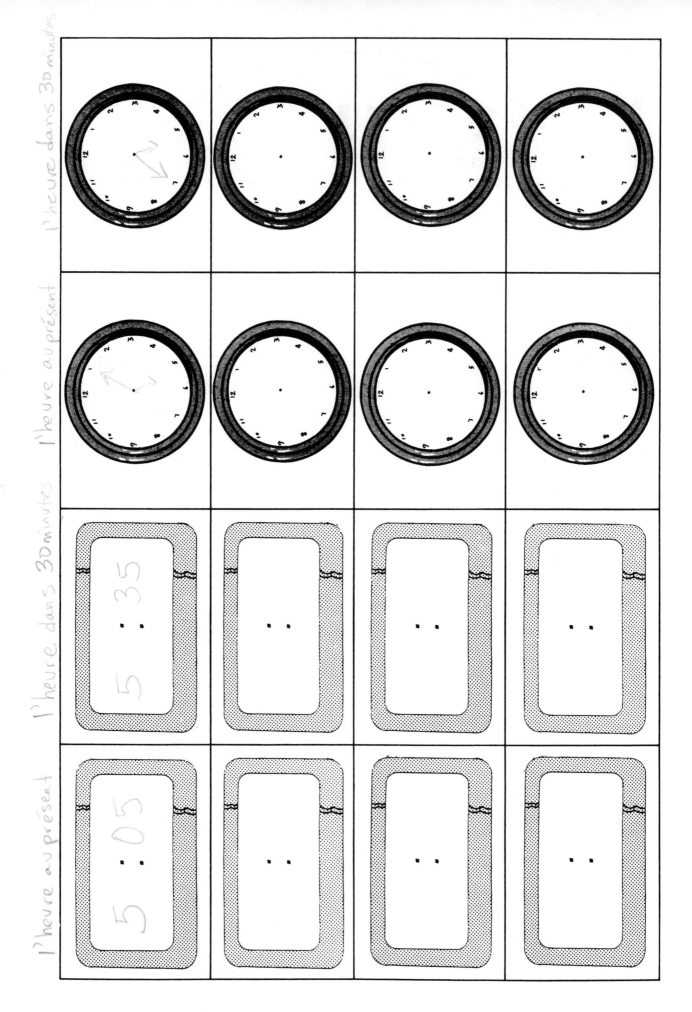

l'heure dans 30 minutes   l'heure au présent

l'heure dans 30 minutes   l'heure au présent

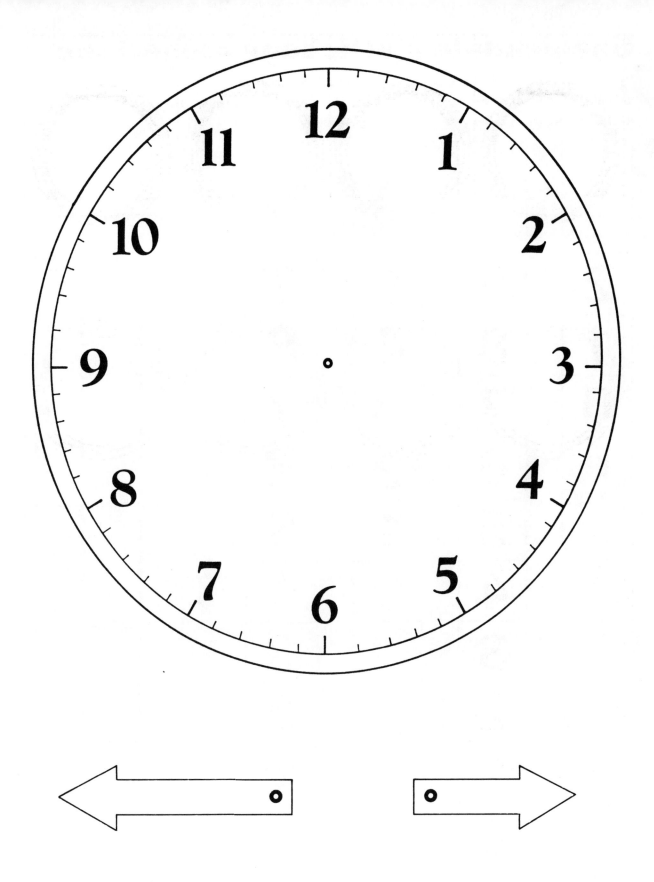

Une pendule à affichage numérique

Il te faut: du carton, de la colle, une paire de ciseaux et un couteau.

- Colle la feuille sur du carton.
- Découpe les cinq bandes.
- Au couteau, fais des fentes dans le cadran.
- Assemble la pendule.

2	9	5	9
1	8	4	8
0	7	3	7
	6	2	6
	5	1	5
	4	0	4
	3		3
	2		2
	1		1
	0		0

© EMC *Idées pratiques pour la classe de français*

Agenda

.................(mois)

... lundi   St/Ste...............................

8	_____	14	_____
9	_____	15	_____
10	_____	16	_____
11	_____	17	_____
12	_____	18	_____

... mardi   St/Ste...............................

8	_____	14	_____
9	_____	15	_____
10	_____	16	_____
11	_____	17	_____
12	_____	18	_____

... mercredi   St/Ste...............................

8	_____	14	_____
9	_____	15	_____
10	_____	16	_____
11	_____	17	_____
12	_____	18	_____

... jeudi   St/Ste...............................

8	_____	14	_____
9	_____	15	_____
10	_____	16	_____
11	_____	17	_____
12	_____	18	_____

... vendredi   St/Ste...............................

8	_____	14	_____
9	_____	15	_____
10	_____	16	_____
11	_____	17	_____
12	_____	18	_____

... samedi   St/Ste...............................

8	_____	14	_____
9	_____	15	_____
10	_____	16	_____
11	_____	17	_____
12	_____	18	_____

... dimanche   St/Ste...............................

8	_____	14	_____
9	_____	15	_____
10	_____	16	_____
11	_____	17	_____
12	_____	18	_____

Fêtes à souhaiter

A

Abraham	20 déc.
Achille	12 mai
Adèle	24 déc.
Adelphe	11 sept.
Adolphe	30 juin
Adrien	8 sept.
Agathe	5 fév.
Agnès	21 janv.
Aimé	13 sept.
Aimée	20 fév.
Alain	9 sept.
Alban	22 juin
Albert	15 nov.
Alda	26 avril
Alexandra	22 avril
Alexis	17 fév.
Alfred	12 oct.
Alice	16 déc.
Aline	20 oct.
Alix	9 janv.
Alphonse	1 août
Amandine	9 juil.
Ambroise	7 déc.
Amédée	30 mars
Amélie	19 sept.
André	30 nov.
Angèle	27 janv.
Anne	26 juil.
Annick	26 avril
Anselme	21 avril
Anthelme	26 juin
Antoine	13 juin
Antoinette	28 fév.
Antonin	10 mai
Apolline	9 fév.
Aristide	31 août
Arlette	4 nov.
Armand	23 déc.
Armel	16 août
Arnaud	10 fév.
Arsène	19 juil.
Arthur	15 nov.
Astrid	27 nov.
Aube	1 mars
Aude	18 nov.
Audrey	23 juin
Auguste	29 fév.
Augustin	28 août
Aurélie	15 oct.
Aurore	13 déc.
Aymar	29 mai

B

Baptiste	24 juin
Barbara	4 déc.
Barbe	4 déc.
Barnabé	11 juin
Barnard	23 janv.
Barthélemy	24 août
Basile	2 janv.
Bastien	20 janv.
Baudouin	17 oct.
Béatrice	13 fév.
Bénédicte	16 mars
Benjamin	31 mars
Benoît	11 juil.
B.-Joseph	16 avril
Bérenger	26 mai
Bernadette	18 fév.
Bernard	20 août
Bernardin	20 mai
Berthe	4 juil.
Bertille	6 nov.
Bertrand	6 sept.
Bettina	17 nov.
Blaise	3 fév.
Blandine	2 juin
Boris	2 mai
Brigitte	23 juil.
Bruno	6 oct.

C

Camille	14 juil.
Carine	7 nov.
Caroline	17 juil.
Casimir	4 mars
Catherine	25 nov.
Cécile	22 nov.
Céline	21 oct.
Chantal	12 déc.
Charles	4 nov.
Charlotte	17 juil.
Christel	24 juil.
Christian	12 nov.
Christine	24 juil.
Christophe	21 août
Claire	11 août
Clarisse	12 août
Claude	15 fév.
Claudine	15 fév.
Clémence	21 mars
Clément	23 nov.
Clémentine	14 nov.
Clotilde	4 juin
Colette	6 mars
Côme	26 sept.
Constance	8 avril
Constantin	23 sept.
Corinne	21 mai
Cyrille	18 mai

D

Damien	26 sept.
Daniel	11 déc.
David	29 déc.
Davy	20 sept.
Delphine	26 nov.
Denis	9 oct.
Denise	15 mai
Désiré	8 mai
Diane	9 juin
Didier	23 mai
Dimitri	26 oct.
Dominique	8 août
Donald	15 juil.
Donatien	24 mai

E

Edgar	8 juil.
Edith	16 sept.
Edmond	20 nov.
Edouard	5 janv.
Edwige	16 oct.
Eliane	4 juil.
Elisabeth	17 nov.
Ella	1 fév.
Eloi	1 déc.
Elsa	17 nov.
Elvire	16 juil.
Emeline	27 oct.
Emile	22 mai
Emilie	19 sept.
Emilienne	5 janv.
Emma	19 avril
Emmanuel	25 déc.
Enguerran	18 mai
Eric	18 mai
Ernest	7 nov.
Estelle	11 mai
Etienne	26 déc.
Eudes	19 août
Eugène	13 juil.
Eugénie	7 fév.
Eve	6 sept.
Evrard	14 août

F

Fabien	20 janv.
Fabrice	22 août
Fanny	7 mars
Félicie	7 mars
Félicité	7 mars
Félix	12 fév.
Ferdinand	30 mai
Fernand	27 juin
Fiacre	30 août
Fidèle	24 avril
Firmin	11 oct.
Fleur	5 oct.
Florence	1 déc.
Florent	4 juil.
Florentin	24 oct.
Francis	24 janv.
François	4 oct.
Françoise	9 mars
Frédéric	18 juil.
Fulbert	10 avril

G

Gabin	19 fév.
Gabriel	29 sept.
Gaëtan	7 août
Gaston	6 fév.
Gatien	18 déc.
Gautier	9 avril
Geneviève	3 janv.
Geoffroy	8 nov.
Georges	23 avril
Georgette	23 avril
Gérald	5 déc.
Gérard	3 oct.
Germain	13 oct.
Germaine	15 juin
Ghislain	10 oct.
Gilbert	7 juin
Gildas	29 janv.
Gilles	1 sept.
Gisèle	7 mai
Gontran	28 mars
Grégoire	3 sept.
Guénnolé	2 oct.
Guillaume	10 janv.
Gustave	7 oct.
Guy	12 juin
Gwladys	29 mars

H

Habib	27 mars
Harold	1 nov.
Hélène	18 août
Henri	13 juil.
Herbert	20 mars
Hermann	25 sept.
Hervé	17 juin
Hilda	11 mai
Hippolyte	13 août
Honoré	16 mai
Honorine	27 fév.
Hubert	3 nov.
Hugues	1 avril
Huguette	1 avril

I

Ida	13 avril
Ignace	31 juil.
Igor	5 juin
Inès	10 sept.
Ingrid	2 sept.
Irène	5 avril
Irénée	28 juin
Irma	9 juil.
Isaac	20 déc.
Isabelle	22 fév.
Isidore	4 avril

J

Jacob	20 déc.
Jacqueline	8 fév.
Jacques	25 juil.
Jean	27 déc.
J-Baptiste	24 juin
Jeanne	30 mai
Jérôme	30 sept.
Joachim	26 juil.
Joël	13 juil.
Joseph	19 mars
Judicaël	17 déc.
Judith	5 mai
Jules	12 avril
Julie	8 avril
Julien	2 août
Julienne	16 fév.
Juliette	30 juil.
Juste	14 oct.
Justin	1 juin
Justine	12 mars

K

Kévin	3 juin

L

Landry	10 juin
Larissa	26 mars
Laure	10 août
Laurence	10 août
Laurent	10 août
Léa	22 mars
Léger	2 oct.
Léon	10 nov.
Léonce	18 juin
Lionel	10 nov.
Loïc	25 août
Louis	25 août
Louise	15 mars
Luc	18 oct.
Lucas	18 oct.
Lucie	13 déc.
Lucien	8 janv.
Ludovic	25 août
Lydie	3 août

M

Madeleine	22 juil.
Magali	20 juil.
Manuel	25 déc.
Marcel	16 janv.
Marcelle	31 janv.
Marcelline	17 juil.
Marguerite	16 nov.
Marianne	9 juil.
Marie	15 août
Marietta	6 juil.
Marina	20 juil.
Marius	19 janv.
Marthe	29 juil.
Martial	30 juin
Martin	11 nov.
Martine	30 janv.
Mathias	14 mai
Mathilde	14 mars
Matthieu	21 sept.
Maurice	22 sept.
Maxime	14 avril
Médard	8 juin
Melaine	6 janv.
Michel	29 sept.
Modeste	24 fév.
Moïse	4 sept.
Monique	27 août
Myriam	15 août

N

Nadège	18 sept.
Nadia	18 sept.
Narcisse	29 oct.
Natacha	26 août
Nathalie	27 juil.
Nelly	18 août
Nestor	26 fév.
Nicolas	6 déc.
Nicole	6 déc.
Nina	14 janv.
Ninon	15 déc.
Noël	25 déc.
Norbert	6 juin

O

Octave	20 nov.
Octavien	6 août
Odette	20 avril
Odile	14 déc.
Olga	11 juil.
Olive	5 mars
Olivier	12 juil.
Oswald	5 août

P

Paola	26 janv.
Parfait	18 avril
Pascal	17 mai
Pascale	17 mai
Patrice	17 mars
Patrick	17 mars
Paul	29 juin
Paule	26 janv.
Paulin	11 janv.
Peggy	8 janv.
Pélagie	8 oct.
Philippe	3 mai
Pierre	29 juin
Pierrette	31 mai
Prisca	18 janv.
Prosper	25 juin

R

Rachel	15 janv.
Raïssa	5 sept.
Raoul	7 juil.
Raphaël	29 sept.
Raymond	7 janv.
Régis	16 juin
Reine	7 sept.
Rémi	15 janv.
Renaud	17 sept.
René	19 oct.
Richard	3 avril
Robert	30 avril
Rodolphe	21 juin
Rodrigue	13 mars
Roger	30 déc.
Roland	15 sept.
Romain	28 fév.
Romaric	10 déc.
Roméo	25 fév.
Romuald	4 sept.
Rose	23 août
Roselyne	17 janv.
Rosine	11 mars

S

Sabine	29 août
Salomé	22 oct.
Salomon	25 juin
Samson	28 juil.
Samuel	20 août
Sandra	2 avril
Saturnin	29 nov.
Sébastien	20 janv.
Serge	7 oct.
Séverin	14 nov.
Sidoine	20 nov.
Silvère	28 oct.
Simon	28 oct.
Simone	10 mai
Solange	10 mai
Sophie	25 mai
Stanislas	11 avril
Stéphane	26 fév.
Suzanne	11 août
Sybille	9 oct.
Sylvain	4 mai
Sylvestre	31 déc.
Sylvie	5 nov.

T

Tamara	1 mai
Tanguy	19 nov.
Tania	12 janv.
Tatiana	12 janv.
Teddy	9 nov.
Théodore	9 nov.
Théophile	20 déc.
Thérèse	15 oct.
Thibaut	8 juil.
Thierry	1 juil.
Thomas	3 juil.

U

Ulrich	10 juil.
Urbain	19 déc.
Ursule	21 oct.

V

Valentin	14 fév.
Valérie	28 avril
Véra	18 sept.
Véronique	4 fév.
Victor	21 juil.
Victorien	23 mars
Vincent	22 janv.
Virginie	7 janv.
Viviane	2 déc.
Vivien	10 mars

W

Wenceslas	28 sept.
Wilfried	12 oct.
Wolfgang	31 oct.

X

Xavier	3 déc.
Xavière	22 déc.

Y

Yann	27 déc.
Yolande	11 juin
Yves	19 mai
Yvette	13 janv.
Yvonne	19 mai

Z

Zita	27 avril
Zoé	2 mai

Verseau
21 janvier – 18 février

....

....

Poissons
19 février – 20 mars

....

....

Bélier
21 mars – 20 avril

....

....

Taureau
21 avril – 21 mai

....

....

Gémeaux
22 mai – 21 juin

....

....

Cancer
22 juin – 22 juillet

....

....

Lion
23 juillet – 23 août

....

....

Vierge
24 août – 23 septembre

....

....

Balance
24 septembre –
23 octobre

....

....

Scorpion
24 octobre – 22 novembre

....

....

Sagittaire
23 novembre –
21 décembre

....

....

Capricorne
22 décembre – 20 janvier

....

....

Monsieur et Madame

....

ont la joie de vous annoncer le mariage
de leur fille

....

avec Monsieur

....

....

....

....

....

Tu es invité(e) à une fête géniale
le...
à .... heures

Adresse: ....

....

....

Bon anniversaire

Meilleurs vœux   FÉLICITATIONS!

BONNE ANNÉE

Bonne fête   Joyeux Noël

Joyeuses Pâques

1 un	2 deux	3 trois	4 quatre
5 cinq	6 six	7 sept	8 huit
9 neuf	10 dix	11 onze	12 douze
13 treize	14 quatorze	15 quinze	16 seize
17 dix-sept	18 dix-huit	19 dix-neuf	20 vingt
21 vingt et un	22 vingt-deux	23 vingt-trois	24 vingt-quatre
25 vingt-cinq	26 vingt-six	27 vingt-sept	28 vingt-huit
29 vingt-neuf	30 trente	31 trente et un	32 trente-deux
33 trente-trois	34 trente-quatre	35 trente-cinq	36 trente-six
37 trente-sept	38 trente-huit	39 trente-neuf	40 quarante
41 quarante et un	42 quarante-deux	43 quarante-trois	44 quarante-quatre
45 quarante-cinq	46 quarante-six	47 quarante-sept	48 quarante-huit
49 quarante-neuf	50 cinquante	51 cinquante et un	52 cinquante-deux
53 cinquante-trois	54 cinquante-quatre	55 cinquante-cinq	56 cinquante-six
57 cinquante-sept	58 cinquante-huit	59 cinquante-neuf	60 soixante
61 soixante et un	62 soixante-deux	63 soixante-trois	64 soixante-quatre
65 soixante-cinq	66 soixante-six	67 soixante-sept	68 soixante-huit
69 soixante-neuf	70 soixante-dix	71 soixante et onze	72 soixante-douze
73 soixante-treize	74 soixante-quatorze	75 soixante-quinze	76 soixante-seize
77 soixante-dix-sept	78 soixante-dix-huit	79 soixante-dix-neuf	80 quatre-vingts
81 quatre-vingt-un	82 quatre-vingt-deux	83 quatre-vingt-trois	84 quatre-vingt-quatre
85 quatre-vingt-cinq	86 quatre-vingt-six	87 quatre-vingt-sept	88 quatre-vingt-huit
89 quatre-vingt-neuf	90 quatre-vingt-dix	91 quatre-vingt-onze	92 quatre-vingt-douze
93 quatre-vingt-treize	94 quatre-vingt-quatorze	95 quatre-vingt-quinze	96 quatre-vingt-seize
97 quatre-vingt-dix-sept	98 quatre-vingt-dix-huit	99 quatre-vingt-dix-neuf	100 cent

Il te faut: des ciseaux, de la colle

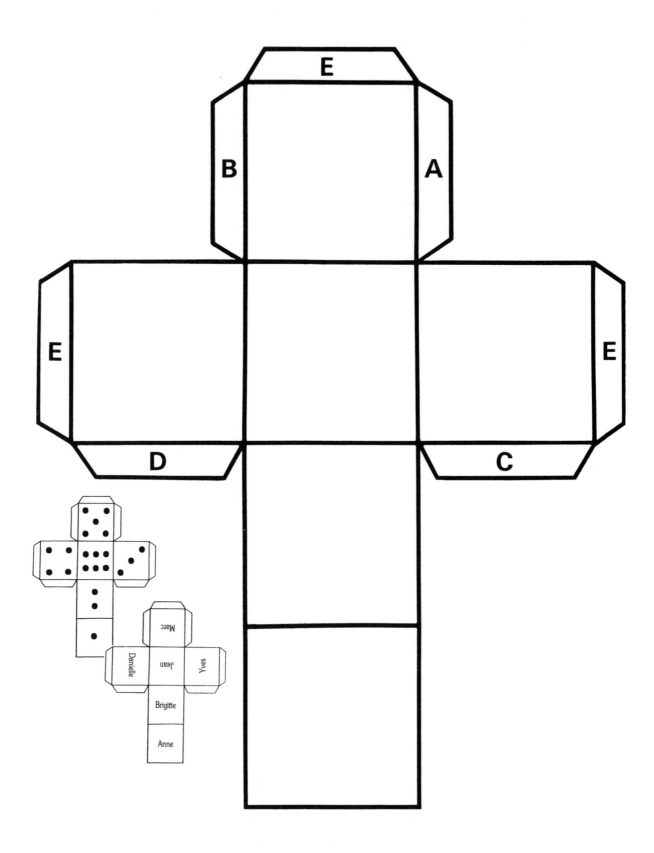

$$\begin{array}{r} 11 \\ +2 \\ \hline \\ \hline \end{array} \qquad \begin{array}{r} 5 \\ +14 \\ \hline \\ \hline \end{array} \qquad \begin{array}{r} 28 \\ +6 \\ \hline \\ \hline \end{array} \qquad \begin{array}{r} 31 \\ +9 \\ \hline \\ \hline \end{array} \qquad \begin{array}{r} 10 \\ +11 \\ \hline \\ \hline \end{array}$$

$$\begin{array}{r} 16 \\ -3 \\ \hline \\ \hline \end{array} \qquad \begin{array}{r} 41 \\ -13 \\ \hline \\ \hline \end{array} \qquad \begin{array}{r} 23 \\ -4 \\ \hline \\ \hline \end{array} \qquad \begin{array}{r} 11 \\ -8 \\ \hline \\ \hline \end{array} \qquad \begin{array}{r} 15 \\ -12 \\ \hline \\ \hline \end{array}$$

$$\begin{array}{r} 9 \\ \times 3 \\ \hline \\ \hline \end{array} \qquad \begin{array}{r} 17 \\ \times 1 \\ \hline \\ \hline \end{array} \qquad \begin{array}{r} 22 \\ \times 3 \\ \hline \\ \hline \end{array} \qquad \begin{array}{r} 13 \\ \times 2 \\ \hline \\ \hline \end{array} \qquad \begin{array}{r} 10 \\ \times 4 \\ \hline \\ \hline \end{array}$$

$10 \div 5 =$ $\qquad$ $16 \div 4 =$ $\qquad$ $27 \div 3 =$

$48 \div 12 =$ $\qquad$ $12 \div 2 =$

ça fait	**+ plus**
font	**− moins**
	× fois
	÷ divisé par

A	B	C	D
E	F	G	H
I	J	K	L
M	N	O	P
Q	R	S	T
U	V	W	X
Y	Z		

© EMC *Idées pratiques pour la classe de français*

a	à	â	b	c
ç	d	e	é	è
ê	ë	f	g	h
i	î	ï	j	k
l	m	n	o	ô
œ	p	q	r	s
t	u	û	ù	v
w	x	y	z	

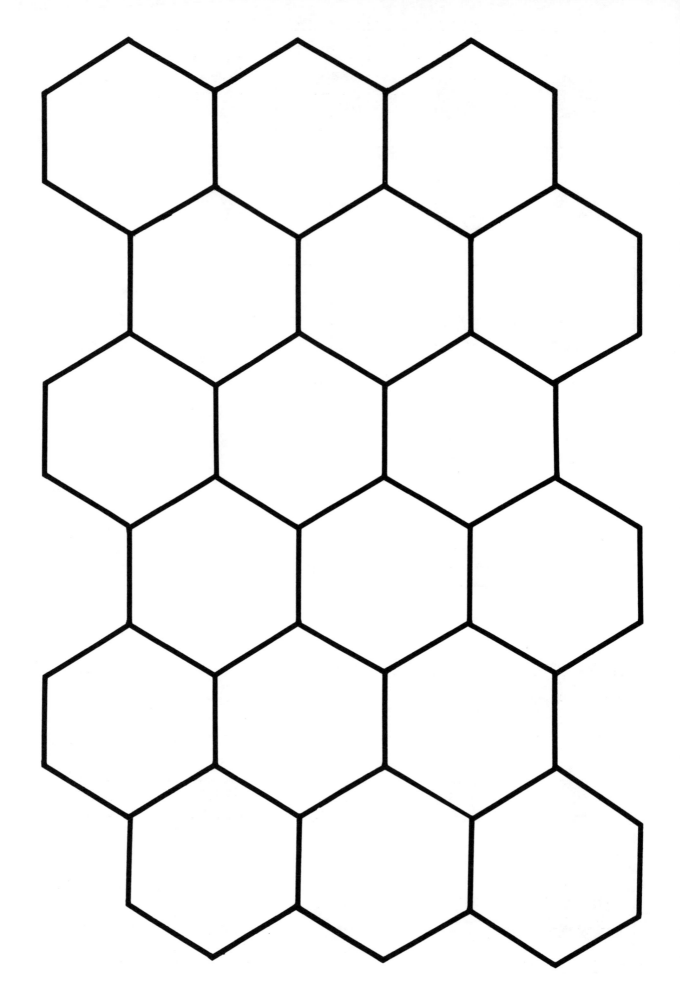

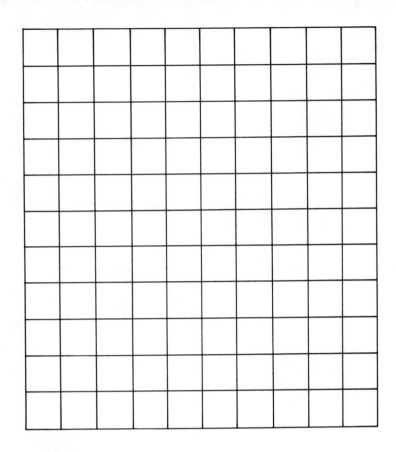

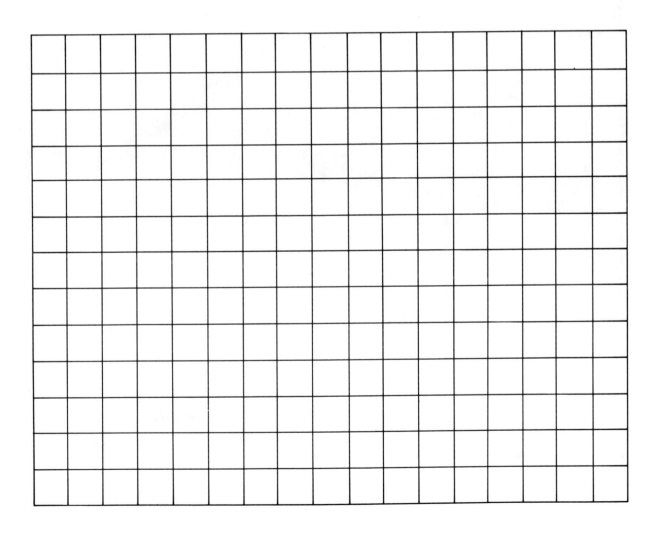

© EMC *Idées pratiques pour la classe de français*

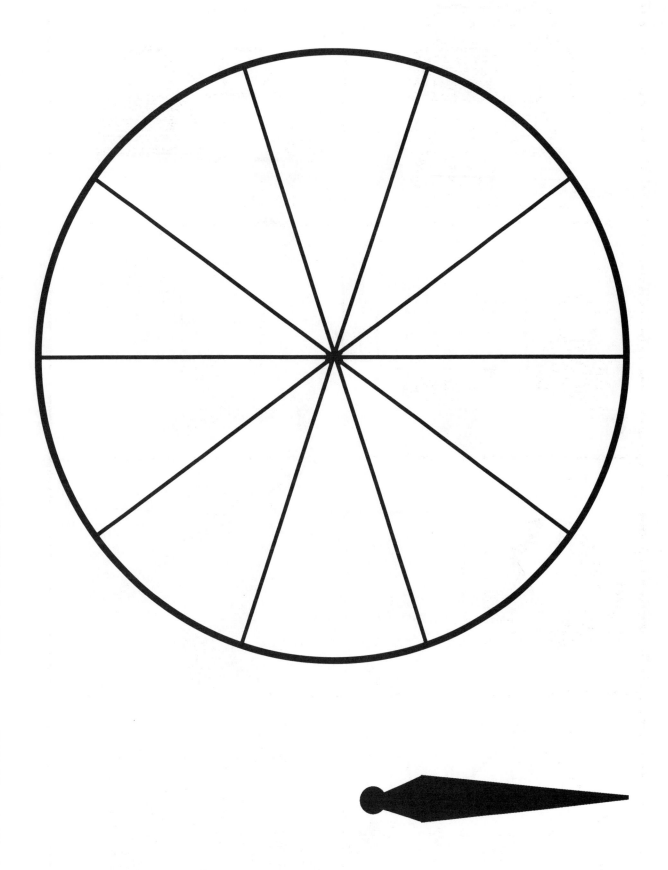

© EMC *Idées pratiques pour la classe de français*

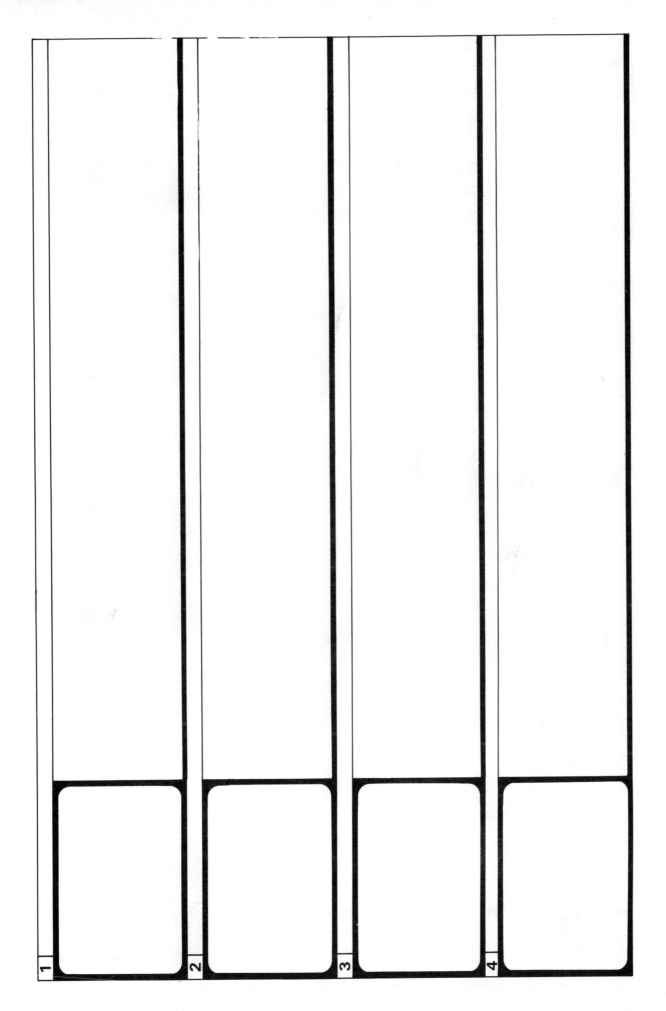

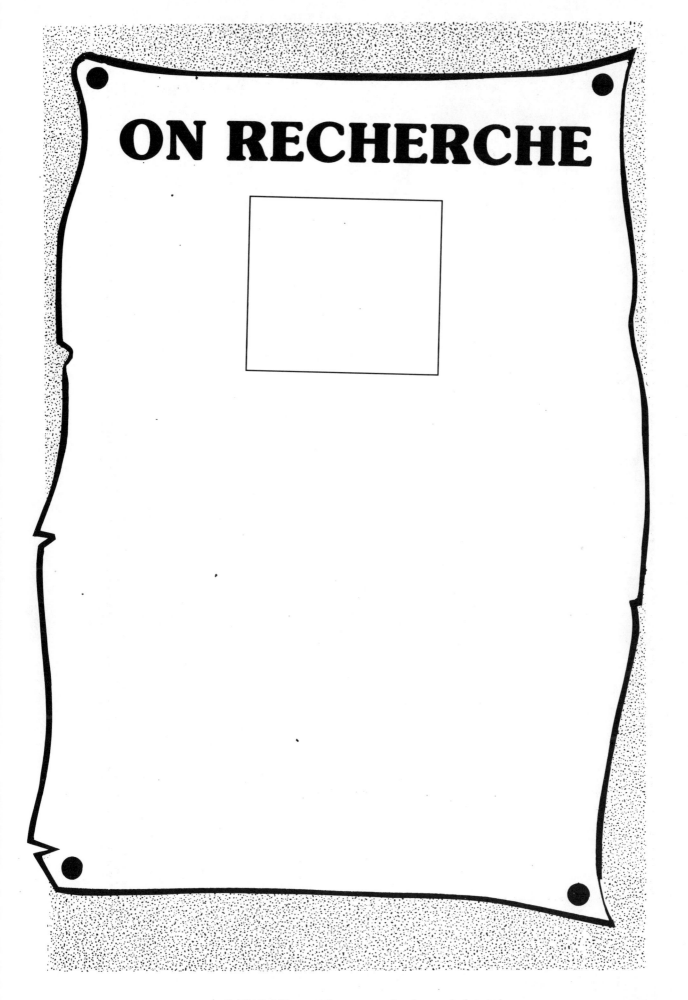

ON RECHERCHE

Comment dit-on ...?

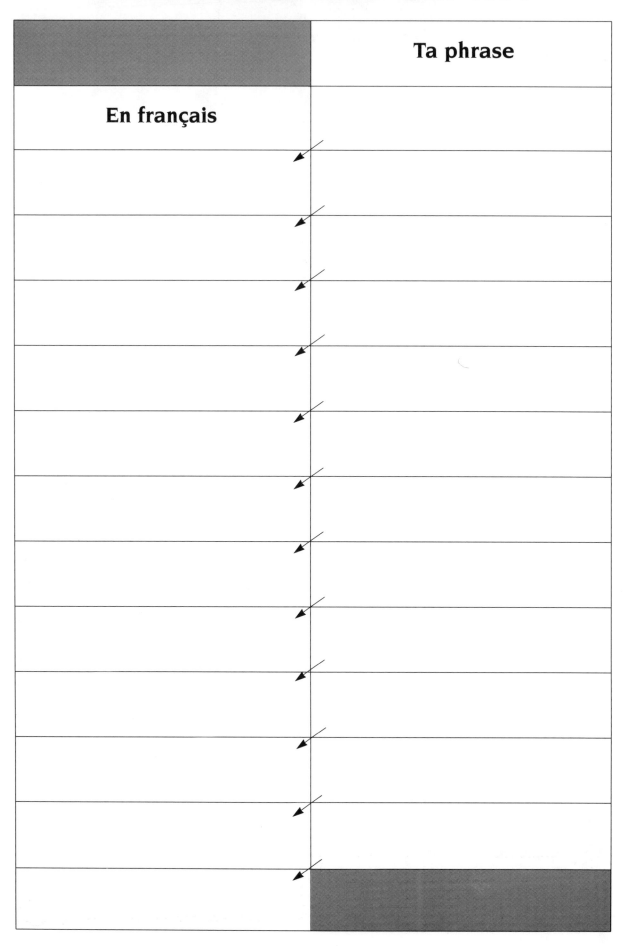

	Ta phrase
En français	

© EMC *Idées pratiques pour la classe de français*

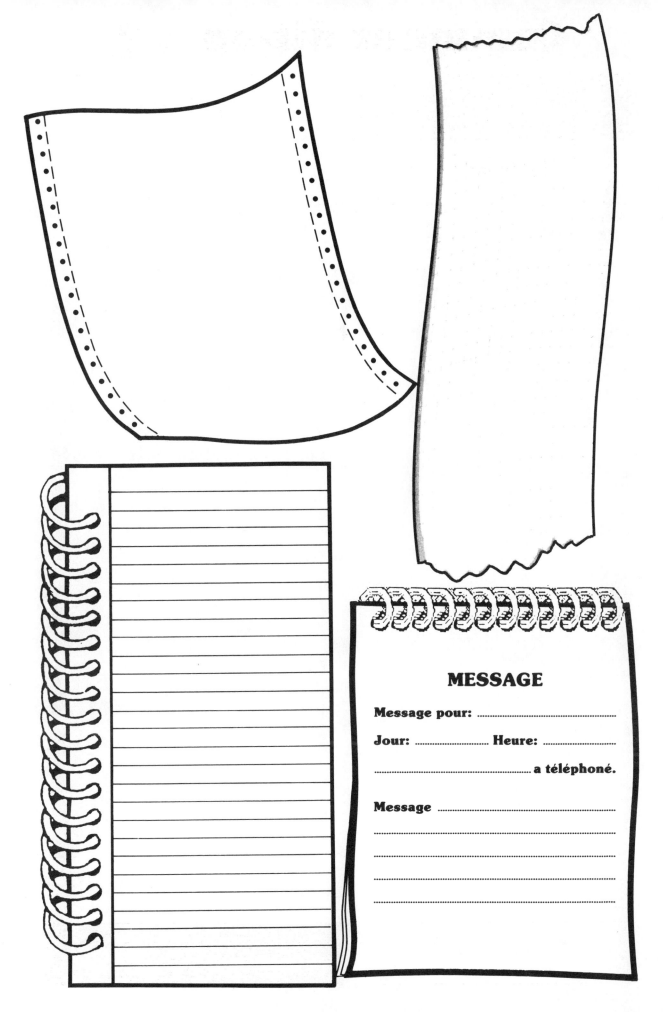

MESSAGE

Message pour: ....

Jour: .... Heure: ....

.... a téléphoné.

Message ....
....
....
....
....
....

Vocabulaire

Français	Ta traduction

Certificat

Nom, prénom:...

Classe: ....

Je peux:

Signature: .... **Date:**.............

Signature du professeur:........................... **Date:**.............

CULTURE	Afrique	Au Théatre
ÉCONOMIE	Annonces	Allemagne
ENSEIGNEMENT	Asie	Bandes Dessinées
ENVIRONNEMENT	Carnet	Belgique
ÉTRANGER	Cinéma	En Bref
ÉVÉNEMENT	Editorial	Espagne
MONDE	États-Unis	Fait Divers
POLITIQUE	Europe	Grande-Bretagne
SCIENCES	Immobilier	Horoscope
SOCIÉTÉ	Interview	Italie
SPECTACLES	Jeux	Locations
SPORTS	Méteo	Mots Croisés
	Musique	Nouveaux Disques
	Radio-Télévision	Nouveaux Films
	Théâtre	Nouveaux Livres
	Vos lettres	Pays-Bas
		Ventes

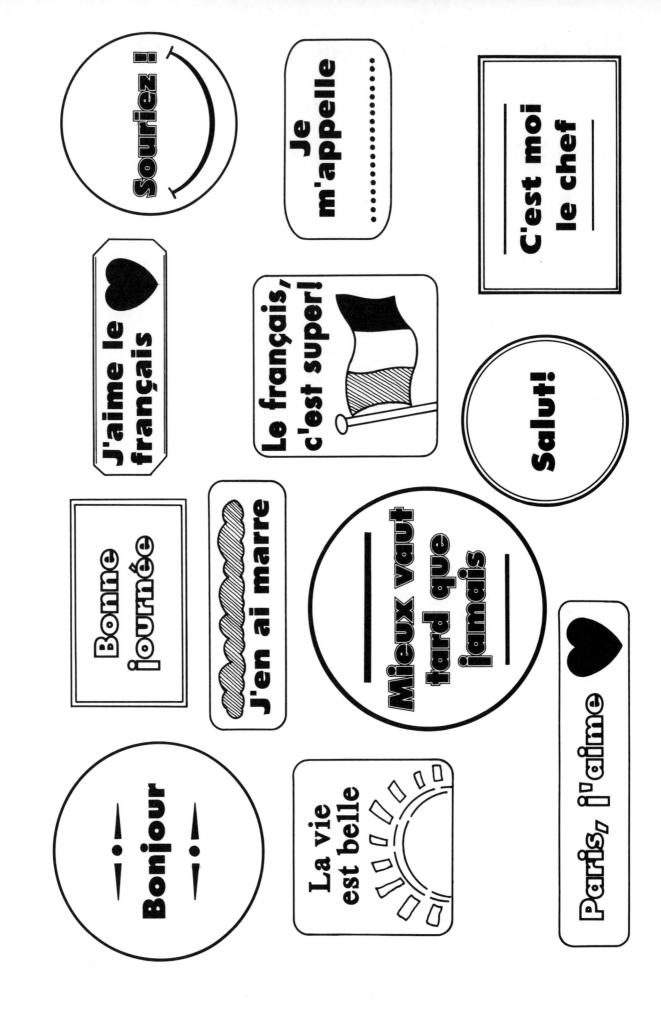

Souriez !

Je m'appelle ·················

C'est moi le chef ___

J'aime le ❤ français

Le français, c'est super!

Salut!

Bonne journée

J'en ai marre

Mieux vaut tard que jamais ___

❤ Paris, j'aime

¡ Bonjour !

La vie est belle

Les verbes en –er au présent

Les verbes réguliers qui se terminent en **–er** forment le présent ainsi:

regarder

Je regarde	Nous regardons
Tu regardes	Vous regardez
Il/Elle/On regarde	Ils/Elles regardent

Voici quelques verbes utiles qui se terminent en **–er**. Ces verbes suivent le même modèle que **regarder** au présent. Tu peux ajouter la traduction.

accompagner	gagner
aider	garder
aimer	habiter
ajouter	jouer
allumer	laisser
apporter	louer
attraper	marcher
bouger	monter
cacher	montrer
casser	oublier
chanter	parler
chercher	passer
commander	penser
couper	porter
coûter	pousser
danser	quitter
demander	raconter
détester	remarquer
discuter	remercier
deviner	rencontrer
donner	sembler
durer	tirer
écouter	toucher
emprunter	travailler
expliquer	traverser
fermer	trouver
fumer	vérifier

Les verbes en –ir au présent

Les verbes réguliers qui se terminent en **–ir** forment le présent ainsi:

finir

Je finis
Tu finis
Il/Elle/On finit
Nous finissons
Vous finissez
Ils/Elles finissent

Voici quelques verbes utiles qui se terminent en **–ir**. Ces verbes suivent le même modèle que **finir** au présent. Ajoute la traduction.

accomplir	**rafraîchir**
atterrir	**ralentir**
choisir	**réfléchir**
envahir	**réussir**
fournir	**rougir**
grandir	**salir**
punir	**vieillir**

Choisit-il toujours les romans policiers?

Elle grandit si lentement.

Je ne rougis jamais.

Elles accomplissent souvent les tâches les plus difficiles.

Chaque matin les touristes envahissent le château.

Vous ne ralentissez pas assez vite.

Les verbes en –re au présent

Les verbes réguliers qui se terminent en **–re** forment le présent ainsi:

attendre

J'attends
Tu attends
Il/Elle/On attend
Nous attendons
Vous attendez
Ils/Elles attendent

Voici quelques verbes utiles qui se terminent en **–re**. Ces verbes suivent le même modèle qu'**attendre** au présent. Ajoute la traduction.

correspondre à   **perdre**

défendre   **rendre**

dépendre de   **rendre visite à**

descendre   **répondre**

entendre   **vendre**

Il perd souvent ses clés.

Je vous défends de sortir ce soir.

Ça dépend des circonstances.

Ils entendent tout ce qu'on dit.

Est-ce que vous me rendez le billet?

Tu ne vends pas ton veston maintenant?

Le présent – quelques verbes utiles

aller	**avoir**	**connaître**
Je vais	J'ai	Je connais
Tu vas	Tu as	Tu connais
Il/Elle/On va	Il/Elle/On a	Il/Elle/On connaît
Nous allons	Nous avons	Nous connaissons
Vous allez	Vous avez	Vous connaissez
Ils/Elles vont	Ils/Elles ont	Ils/Elles connaissent

devoir	**dire**	**écrire**
Je dois	Je dis	J'écris
Tu dois	Tu dis	Tu écris
Il/Elle/On doit	Il/Elle/On dit	Il/Elle/On écrit
Nous devons	Nous disons	Nous écrivons
Vous devez	Vous dites	Vous écrivez
Ils/Elles doivent	Ils/Elles disent	Ils/Elles écrivent

être	**faire**	**lire**
Je suis	Je fais	Je lis
Tu es	Tu fais	Tu lis
Il/Elle/On est	Il/Elle/On fait	Il/Elle/On lit
Nous sommes	Nous faisons	Nous lisons
Vous êtes	Vous faites	Vous lisez
Ils/Elles sont	Ils/Elles font	Ils/Elles lisent

mettre	**partir**	**pouvoir**
Je mets	Je pars	Je peux
Tu mets	Tu pars	Tu peux
Il/Elle/On met	Il/Elle/On part	Il/Elle/On peut
Nous mettons	Nous partons	Nous pouvons
Vous mettez	Vous partez	Vous pouvez
Ils/Elles mettent	Ils/Elles partent	Ils/Elles peuvent

prendre	**recevoir**	**savoir**
Je prends	Je reçois	Je sais
Tu prends	Tu reçois	Tu sais
Il/Elle/On prend	Il/Elle/On reçoit	Il/Elle/On sait
Nous prenons	Nous recevons	Nous savons
Vous prenez	Vous recevez	Vous savez
Ils/Elles prennent	Ils/Elles reçoivent	Ils/Elles savent

venir	**voir**	**vouloir**
Je viens	Je vois	Je veux
Tu viens	Tu vois	Tu veux
Il/Elle/On vient	Il/Elle/On voit	Il/Elle/On veut
Nous venons	Nous voyons	Nous voulons
Vous venez	Vous voyez	Vous voulez
Ils/Elles viennent	Ils/Elles voient	Ils/Elles veulent

 © EMC *Idées pratiques pour la classe de français*

Les verbes pronominaux au présent

La plupart des verbes pronominaux forment le présent ainsi:

se réveiller

Je me réveille
Tu te réveilles
Il/Elle/On se réveille
Nous nous réveillons
Vous vous réveillez
Ils/Elles se réveillent

Voici quelques verbes pronominaux utiles. Ces verbes suivent le même modèle que **se réveiller** au présent. Ajoute la traduction.

se baigner

se cacher

se coucher

se dépêcher

se déshabiller

s'habiller

se laver

se lever

se maquiller

se raser

Il se cache toujours dans le placard.

Vous vous couchez très tard.

Le matin, je m'habille en vitesse.

Est-ce qu'ils se lèvent?

Tu ne te dépêches jamais.

Nous ne nous maquillons plus.

Le futur

Pour former le futur:

- prends l'infinitif: **arriver, finir, répondre**
- si l'infinitif se termine en **–e,** enlève le e final: **répondr**
- ajoute ces terminaisons:

(je)	**–ai**
(tu)	**–as**
(il/elle/on)	**–a**
(nous)	**–ons**
(vous)	**–ez**
(ils/elles)	**–ont**

Par exemple:

arriver	**finir**	**répondre**
J'arriverai	**Je finirai**	**Je répondrai**
Tu arriveras	**Tu finiras**	**Tu répondras**
Il/Elle/On arrivera	**Il/Elle/On finira**	**Il/Elle/On répondra**
Nous arriverons	**Nous finirons**	**Nous répondrons**
Vous arriverez	**Vous finirez**	**Vous répondrez**
Ils/Elles arriveront	**Ils/Elles finiront**	**Ils/Elles répondront**

Le futur des verbes suivants est irrégulier. Cependant, les terminaisons sont les mêmes:

aller	**avoir**	**être**	**venir**
J'irai	J'aurai	Je serai	Je viendrai
Tu iras	Tu auras	Tu seras	Tu viendras
Il/Elle/On ira	Il/Elle/On aura	Il/Elle/On sera	Il/Elle/On viendra
Nous irons	Nous aurons	Nous serons	Nous viendrons
Vous irez	Vous aurez	Vous serez	Vous viendrez
Ils/Elles iront	Ils/Elles auront	Ils/Elles seront	Ils/Elles viendront

faire	**pouvoir**	**savoir**	**vouloir**
Je ferai	Je pourrai	Je saurai	Je voudrai
Tu feras	Tu pourras	Tu sauras	Tu voudras
Il/Elle/On fera	Il/Elle/On pourra	Il/Elle/On saura	Il/Elle/On voudra
Nous ferons	Nous pourrons	Nous saurons	Nous voudrons
Vous ferez	Vous pourrez	Vous saurez	Vous voudrez
Ils/Elles feront	Ils/Elles pourront	Ils/Elles sauront	Ils/Elles voudront

Le passé composé (avec avoir)

Pour former le passé composé d'un verbe régulier:

- prends le temps présent du verbe **avoir**:

  J'ai
  Tu as
  Il/Elle/On a
  Nous avons
  Vous avez
  Ils/Elles ont

- ajoute le participe passé:

  verbes en **–er:**   donner   →   donné
  verbes en **–ir:**   finir   →   fini
  verbes en **–re:**   attendre   →   attendu

Par exemple:

donner	**finir**	**attendre**
J'ai donné	**J'ai fini**	**J'ai attendu**
Tu as donné	**Tu as fini**	**Tu as attendu**
Il/Elle/On a donné	**Il/Elle/On a fini**	**Il/Elle/On a attendu**
Nous avons donné	**Nous avons fini**	**Nous avons attendu**
Vous avez donné	**Vous avez fini**	**Vous avez attendu**
Ils/Elles ont donné	**Ils/Elles ont fini**	**Ils/Elles ont attendu**

Voici quelques verbes utiles. Ces verbes prennent **avoir** au passé composé mais ils ont un participe passé irrégulier. Ajoute la traduction.

avoir	j'ai eu		**mettre**	j'ai mis
boire	j'ai bu		**prendre**	j'ai pris
connaître	j'ai connu		**promettre**	j'ai promis
courir	j'ai couru		**remettre**	j'ai remis
devoir	j'ai dû			
disparaître	j'ai disparu		**dire**	j'ai dit
lire	j'ai lu		**écrire**	j'ai écrit
pleuvoir	il a plu		**faire**	j'ai fait
pouvoir	j'ai pu			
recevoir	j'ai reçu		**offrir**	j'ai offert
savoir	j'ai su		**ouvrir**	j'ai ouvert
tenir	j'ai tenu			
vivre	j'ai vécu		**être**	j'ai été
voir	j'ai vu			
vouloir	j'ai voulu		**peindre**	j'ai peint

Le passé composé (avec être)

Le passé composé de quelques verbes français est composé:

- du présent du verbe **être:**

  Je suis
  Tu es
  Il/Elle/On est
  Nous sommes
  Vous êtes
  Ils/Elles sont

- et du participe passé, par exemple: **retourné**
  Le participe passé de ces verbes s'accorde avec le sujet du verbe.

Par exemple:

retourner

Je suis retourné(e)
Tu es retourné(e)
Il/Elle/On est retourné(e)
Nous sommes retourné(e)s
Vous êtes retourné(e)(s)
Ils/Elles sont retourné(e)s

Voici les autres verbes dont le passé composé est formé avec le verbe **être.** Ajoute la traduction.

arriver	je suis arrivé(e)
partir	je suis parti(e)
monter	je suis monté(e)
descendre	je suis descendu(e)
sortir	je suis sorti(e)
entrer	je suis entré(e)
rentrer	je suis rentré(e)
naître	je suis né(e)
mourir	il est mort/elle est morte
rester	je suis resté(e)
tomber	je suis tombé(e)
aller	je suis allé(e)
venir	je suis venu(e)

aussi:

revenir	je suis revenu(e)
devenir	je suis devenu(e)

À *noter:* Le passé composé de tous les verbes pronominaux est composé du verbe **être** et du participe passé (voir page 117)

© EMC *Idées pratiques pour la classe de français*

Le passé composé des verbes pronominaux

Le passé composé de tous les verbes pronominaux se forme avec le verbe **être** et le participe passé.

Par exemple:

se lever

Je me suis levé(e)
Tu t'es levé(e)
Il s'est levé
Elle s'est levée
On s'est levé(s)
Nous nous sommes levé(e)s
Vous vous êtes levé(e)(s)
Ils se sont levés
Elles se sont levées

La terminaison du participe passé change selon le sujet du verbe:

Juliette, tu t'es levée?
Alain, tu t'es levé?

Voici encore quelques verbes pronominaux. Ils forment leur passé composé de la même façon. Ajoute la traduction.

se baigner	**s'habiller**
se cacher	**se laver**
se coucher	**se maquiller**
se dépêcher	**se raser**
se déshabiller	**se réveiller**

Il s'est caché dans le placard.

Vous vous êtes couchés très tard.

Je me suis habillée en vitesse ce matin.

On s'est dépêché.

Tu ne t'es pas rasé ce matin?

L'imparfait

Pour former l'imparfait:

- prends la forme **nous** du présent: **(nous) passons**

- enlève la terminaison **–ons: pass**

- ajoute ces terminaisons:

(je)	**–ais**
(tu)	**–ais**
(il/elle/on)	**–ait**
(nous)	**–ions**
(vous)	**–iez**
(ils/elles)	**–aient**

Par exemple:

passer	**finir**	**perdre**
(nous pass/ons)	(nous finiss/ons)	(nous perd/ons)
Je passais	**Je finissais**	**Je perdais**
Tu passais	**Tu finissais**	**Tu perdais**
Il/Elle/On passait	**Il/Elle/On finissait**	**Il/Elle/On perdait**
Nous passions	**Nous finissions**	**Nous perdions**
Vous passiez	**Vous finissiez**	**Vous perdiez**
Ils/Elles passaient	**Ils/Elles finissaient**	**Ils/Elles perdaient**

Tous les verbes ont les mêmes terminaisons à l'imparfait.

Seul le verbe **être** est irrégulier à l'imparfait:

J'étais	**Nous étions**
Tu étais	**Vous étiez**
Il/Elle/On était	**Ils/Elles étaient**

Voici quelques expressions utiles:

C'était (super).
Il faisait (beau).
Il y avait (beaucoup de monde).

N'oublie pas! L'imparfait s'emploie:

• pour décrire les choses/ les gens au passé – **Quand j'étais petit, j'avais les cheveux très courts.**	• pour parler d'activités habituelles au passé – **On allait toujours au bord de la mer.**	• pour parler de ce qui se passait au moment d'un événement – **Je regardais la télé quand le téléphone a sonné.**

© EMC *Idées pratiques pour la classe de français*

Poser une question

À quelle heure?   À quelle heure part le train?

Combien?   Combien de frères as-tu?

Comment   Comment ça s'écrit? Comment t'appelles-tu?

Est-ce que ...?   Est-ce que tu parles français?

Où?   Où vas-tu?

D'où?   D'où viens-tu?

Pourquoi?   Pourquoi dis-tu ça?

Quand?   Tu arrives quand?

Que?   Que veut dire ce mot-là?

Quel/Quelle/Quels/Quelles ...?   Quel âge as-tu? Quel temps fait-il?
Quelle heure est-il? Quelle est la date de ton anniversaire?
Quels animaux as-tu?
Quelles matières est-ce que tu préfères?

Qu'est-ce que ...?   Qu'est-ce que tu fais là?

Qui?   Qui parle? Tu es avec qui?

Prépositions utiles

à côté de		à côté de la gare; à côté du lit; à côté de moi; à côté de Sophie
avec		avec moi, avec de la salade; avec du riz; avec Roland
chez		chez Sophie; chez moi; chez le coiffeur
dans		dans ma chambre; dans un mois
derrière		derrière la maison; derrière moi; derrière Roland
devant		devant le magasin; devant moi; devant Sophie
en		en Angleterre; en anglais; en bateau; en quelques secondes
en face de		en face de la gare; en face du collège; en face de moi; en face de Roland
loin de		loin de la gare; loin de l'hôtel; loin de chez moi
près de		près de la gare; près du port; près de chez moi
sans		sans succès; sans moi
sous		sous la table; sous les arbres
sur		sur le lit; sur les photos
à + ville		je vais à Londres; j'habite à Londres
à		
à la		je vais à la gare; il est à la gare
à l'		je vais à l'hôtel; il est à l'étranger
au		je vais au collège; il habite au Canada
aux		je vais aux toilettes; elle habite aux États-Unis
de + ville		il vient de Paris
de		
de la		le café de la gare; le train part de la gare
de l'		la porte de l'hôtel; elle arrive de l'hôpital
du		le nom du collège; je rentre du bureau
des		le président des États-Unis; je reviens des États-Unis

Comment exprimer la position

en haut à gauche	en haut au milieu	en haut à droite
à gauche au milieu	au milieu/ au centre	à droite au milieu
en bas à gauche	en bas au milieu	en bas à droite

Les adjectifs possessifs

	masculin singulier	féminin singulier	pluriel
	mon frère mon ami	ma sœur mon amie	mes cousins mes amis
	ton disque ton ordinateur	ta cassette ton école	tes devoirs tes idées
	son blouson son argent	sa photo son histoire	ses cheveux ses opinions
	notre collège	notre classe	nos profs
	votre pays	votre langue	vos vacances
	leur chef	leur équipe	leurs jeux

Les négations

ne … jamais
Je ne sors jamais le soir.
Je n'ai jamais vu ce film.

ne … ni … ni …
Je n'ai ni frères ni sœurs.

ne … pas
Je n'aime pas ça.
Je n'ai pas fait ça.
Je ne suis pas sorti(e) ce soir.

ne … plus
Je ne mange plus de viande.

ne … rien
Je ne vois rien.
Je n'ai rien entendu.

L'accord de l'adjectif

masculin singulier	féminin singulier	masculin pluriel	féminin pluriel
grand petit vrai	grande petite vraie	grands petits vrais	grandes petites vraies
fatigué	fatiguée	fatigués	fatiguées
dernier prochain	dernière prochaine	derniers prochains	dernières prochaines
bon gentil italien naturel mauvais moyen	bonne gentille italienne naturelle mauvaise moyenne	bons gentils italiens naturels mauvais moyens	bonnes gentilles italiennes naturelles mauvaises moyennes
doux faux heureux	douce fausse heureuse	doux faux heureux	douces fausses heureuses
blanc grec public sec turc	blanche grecque publique sèche turque	blancs grecs publics secs turcs	blanches grecques publiques sèches turques
beau/bel fou gros long nouveau/nouvel vieux/vieil	belle folle grosse longue nouvelle vieille	beaux fous gros longs nouveaux vieux	belles folles grosses longues nouvelles vieilles